Kornel Makuszyński

Kornel Makuszyński

utwory wybrane

WŁ

pod redakcją i ze wstępem

Krystyny Kuliczkowskiej

Kornel Makuszyński

perły i wieprze

Projekt okładki i układ typograficzny
Lech Przybylski
Na okładce wykorzystano zdjęcie
z zasobów Muzeum Tatrzańskiego w Zakopanem
(reprodukcja Ryszard Bukowski)

Redaktor
Małgorzata Kamińska-Rogatko

Redaktor techniczny
Małgorzata Kwiecień-Szczudłowa

Printed in Poland
Wydawnictwo Literackie, Kraków 1988
Wyd. IV. Nakład 100 000 + 350 egz.
Ark. wyd. 7,3. Ark. druk. 9/24
Papier druk. mat. kl. V, 92 X 114 cm, 65 g
Oddano do składania 28 stycznia 1987
Podpisano do druku we wrześniu 1987
Zam. nr 2276/87. D-19-55
Drukarnia Wydawnicza im. W. L. Anczyca
Kraków, ul. Wadowicka 8

ISBN 83-08-01898-X

o perlach

historia sznura pereł

Opowieść ta, z wielkim przeze mnie opowiedziana smutkiem i dość znaczną goryczą, posłużyć może za straszliwy przykład dla ludzi, nie uznających ukrytej mądrości Salomonowych przypowieści i nie widzących majaczącego w oddali marnego kresu każdej ziemskiej sprawy. Historia ta może być czytana cicho albo głośno, może być także nie czytana wcale; cicho powinni ją czytać ludzie nieszczęśliwi, głośno powinni ją czytać kaznodzieje, nie czytać jej wcale mogą — bez urazy z mojej strony — ludzie skazani na dożywotnie więzienie lub tacy, co się zamierzają wieszać. Jest to opowieść dla każdego wieku i stanu, a dowie się z niej każdy, co następuje:

Pan Paweł Kiercz (Kiercz!) był człowiekiem w całej pełni szczęśliwym i dlatego poszedł na przechadzkę do Łazienek. Nie jest to wniosek tak chamsko prosty, jakby się zdawać mogło na pierwszy rzut oka; po głębszej bowiem obserwacji dochodzi się do przekonania, że na przechadzkę przedwieczorną wychodzą jedynie ludzie w zupełności szczęśliwi, lub też całkowicie i beznadziejnie nieszczęśliwi. Szczęśliwy idzie dlatego, żeby z wielkim serdecznym politowaniem spojrzeć na nieszczęśliwych i — na odwrót. Idzie po to, aby promienieć szczęściem, popatrzeć na kwiaty i na wyzłoconą w słońcu wodę i dlatego także, że mu jest zupełnie wszystko jedno, którędy się wałęsa ze swoim szczęściem, które nosi w sercu, podobnie jak to czyni człowiek, który nie miał szczęścia w życiu. Temu też wszystko jedno, kędy się wlecze ze swoją beznadziejnością i wszystko mu jest jedno, czy patrzy na kwiaty, czy na krzesła w domu; idzie też po to między ludzi, żeby czasem spojrzeć z uzasadnioną wściekłością na jakąś promieniejącą fizjognomię. Na przechadzkę nie chodzą tylko ludzie niezdecydowani, to jest tacy, którzy czekają albo na ostatnie szczęśliwe słowo (wygrana na loterii, apopleksja wuja, rentowna katastrofa kolejowa), albo na ostatnie uderzenie losu. Wyliczanie różnorodności form nieszczęsnych zawiodłoby nas zbyt daleko.

Pan Paweł zasię był to człowiek wybitnie szczęśliwy, co było widocznym z każdego nawet jego ruchu; szedł sobie powoli wywijając laską, drugą rękę ukrywszy nonszalancko w kieszeni, w której pobrzękiwał do taktu srebrną monetą. Pogwizdywał od czasu do czasu strzelając dokoła roześmianymi oczyma, gdyby się zaś zwyczajem nimf i faunów przejrzał był w tej chwili w wodzie, byłby nie twarz ujrzał własną, lecz — słońce, promienie bowiem spływały mu ze źrenic na rumiane policzki koloru ślicznego, dojrzałego jabłka. Kapelusz, nasunięty na tył głowy, odsłaniał czoło jasne i książęco dumne. Nawet w krawacie pana Pawła był niezmierny zasób fantazji, i w kolorze mocno rozradowanym, i w sposobie upięcia. Kokarda w dziewiczym warkoczu nie ma w sobie tyle wdzięcznego uroku, ile go miał fantazyjny krawat pana Pawła Kiercza.

Był to człowiek dość zasobny i jeden z tych, na których kaprawy los zezem nie patrzy i zawsze coś ciepłą przyda ręką, mógł się o nic nie troszczyć, niewiele zresztą mając wymagań.

Do tego wszystkiego żonę miał wcale... wcale...

Niewiasta ta była kształtów przyzwoicie pełnych i smakowitych, szczęśliwi ludzie bowiem lubią obfitość we wszystkim i raczej wolą nadmiar niż brak. Nadmiar w korpulencji pani Kierczowej był równocześnie poręką jej dobroci serca i czystości obyczajów, nie była to bowiem kobieta skora do fatygi i do romantycznych utrapień, szczególnie w porze letniej, kiedy ludzie zażywni zawsze się męczą. Stąd też pochodzi, że pan Kiercz, chociaż zasadniczo już pewnym był swojej żony, najpewniejszym jej był jednakże w lecie, z czego można by przy odpowiedniej sposobności wysnuć pożyteczne wnioski na temat zależności kobiecej cnoty — od temperatury.

Było właśnie lato i pan Kiercz miał najidealniejszy spokój w sercu i w duszy. Ułożywszy żonę do drzemki poobiedniej, sam wyszedł na miasto, kupił bardzo czerwoną różę do butonierki, zapalił bardzo wonne cygaro i krokiem lekkomyślnego szczęśliwca i szczęśliwego włóczęgi poszedł zażywać cienia w Łazienkowskim parku. Czasem po drodze zaśmiał się sam do siebie bez głębszego powodu, czasem do spotkanej dzieweczki, czasem do nieba. Nie można jednak powiedzieć, aby mu samotna włóczęga spływała na bezmyślności, pan Paweł bowiem miał bardzo miłą i trudną równocześnie do zrealizowania manię zapamiętywania numerów przejeżdżających dorożek. Czy się kształcił na statystę, czy na profesora uniwersytetu, czy na detektywa — nie wiadomo, dość że żadna z dorożek minąć go nie mogła bez pozostawienia głębokiego śladu w postaci kilku cyfr w usilnie pracującym mózgu pana Pawła. Zdarzało się, że nieraz pan Kiercz był mocno zamyślony i turkot kół i człapanie jasnokościstego konia budziło go za późno, zawsze jednak głęboki ten człowiek w lot przytomniał i choćby mu przyszło biec za dorożką, zawsze mimo to dojrzał, że dorożka, której woźnica jest ospowaty i ma na czerwono zaogniony wrzód po lewej stronie nosa, jej koń zaś posiada lewe oko w stanie zupełnie nieczynnym, prawe zaś w stanie najzupełniej biernym — nosi numer taki i taki.

Cyfry te, nic na pozór nie mówiące człowiekowi o małym albo też żadnym filozoficznym wykształceniu, tworzyły dla pana Kiercza kanwę do snucia głębokich rozmyślań. Ważył je w mózgu, szukał ukrytych między nimi i przypadkowym pasażerem skojarzeń, niesłychanie subtelnym rachunkiem starał się z nich wylogarytmować wiek konia lub wyprorokować przyszłe losy automedona. Nie wspominam już nawet o rozmaitych pobocznych dygresjach filozoficznych, które pan Paweł długim snuł łańcuchem.

Czyż to nie był człowiek szczęśliwy?

Dokoła promiennej postaci pana Kiercza snuła się jakaś nieuchwytna, dziwna poezja, jak tęczowe obrzeże dookoła latarni. Było mu też dobrze na świecie i dobrze było każdemu, co się z nim zetknął, wielką jest bowiem korzyścią dla człowieka spotkanie z mędrcem, który nie potrzebując wiele,w szczęściu chadza i w pogodzie ducha. Pan Kiercz wprawdzie nikomu nigdy nic nie dawał, nigdy jednak od nikogo nic nie brał — radosny i wolny duch.

Taki był, kiedy dnia trzynastego czerwca o godzinie szóstej po południu krążył swobodnym krokiem po żwirze Łazienkowskich alei. Przypatrywał się drzewom i ludziom, kwiatom i chmurom i błogosławił im jasnością spojrzenia. Wszedł właśnie roześmiany w aleję, którą jeżdżą bogate lafiryndy, i przystanął widząc, że z daleka nadjeżdża powóz. Przystanął na chwilę, dobrze jest bowiem znać jego numer, niewiele bowiem powozów jeździ z takim szykiem, z jakim ten nadjeżdżał.

Siedziała w nim donna niesłychanie wytworna, nie tak jednak, aby przez moment nie można było pomyśleć, że jej dziadek był kamienicznym stróżem. Przed oczyma pana Pawła mignęła twarz wcale piękna, choć sztywna i umiejętnie pobielona, co go bynajmniej nie zastanowiło, on patrzy bowiem ciekawym wzrokiem na latarnie, na których szkle, wedle zwyczaju, czerwoną farbą maluje się numer dorożki.

— Nie ma! — pomyślał — to jest powóz prywatny...

Słuszności tej uwagi dowodziła również baronowska korona, pysznią̨ca się z boku powozu; jej się tedy począł przypatrywać pan Paweł dla rekompensaty, gdy nagle w tejże chwili — skamieniał. Zdarzyło mu się to wprawdzie po raz pierwszy w życiu, ale skamieniał. Stało się to ni mniej, ni więcej tylko dlatego, że w owej chwili, kiedy baczny wzrok zwrócił na arystokratyczne emblematy i już począł wskutek tego błyskawicznie rozumieć sztywne, wielkopańskie wyrzucanie nóg końskich, podobne do wyrzucania nóg tabetycznego księcia — ujrzał nagle osuwający się z powozu na stopień, a ze stopnia na ziemię długi, wspaniały, przepyszny sznur pereł.

Krzyknął pan Paweł mimo woli zduszonym głosem, jakby tym chciał zwrócić uwagę siedzącej w powozie matrony, powóz jednak potoczył się dalej.

Można, a nawet należy poczynić w tym miejscu spostrzeżenia, jak postępować zwykł człowiek, który widzi, że inny, przed nim idący, cośkolwiek gubi. Oto tak: człowiek głupio uczciwy i lekkomyślny rzuca się w te pędy, podnosi rzecz zgubioną i biegnie co sił, aby dogonić poszkodowanego, którego z przyrodzonej głupoty zawsze dogoni, ten zaś jest wtedy bardzo rozczulony, bardzo wzruszony, ale patrzy na znalazcę z politowaniem i myśli sobie w duszy zawsze jedno: „idiota, ale dobrze, że oddał!"

Człowiek nie tak lekkomyślny, trochę zrównoważony i czyniący wszystko z rozsądkiem, woła za nieostrożnym, sam się nie spiesząc, woła zaś tak przezornie, że słyszy go zawsze tylko jego własne sumienie, bardzo zaś rzadko usłyszy go ten, co zgubił.

Człowiek zupełnie nielekkomyślny i najzupełniej zrównoważony nie biegnie, nie woła, tylko podniósłszy rzecz znalezioną, ocenia ją fachowo, następnie zaś chowa przezornie rzecz cenną, grat zaś bez wartości składa w redakcji jakiegoś pisma albo w policji.

Ostatnia metoda jest metodą mędrców, a polega na tym, że mędrzec odwraca się przede wszystkim i rozejrzy się zawsze bacznie, badając, czy kto inny jeszcze nie zauważył rzeczy zgubionej, potem nad nią przystaje, manipuluje coś z chustką do nosa, potem ją upuszcza, następnie zaś podnosi już nie samą, potem się wraca ze swej drogi i idzie zaułkami do domu, gdzie dopiero drzwi na klucz zamknąwszy, bada powoli i bez pośpiechu, czym go los obdarzył.

Metody te, z których trzy ostatnie są patentowane, pierwsza zaś z nich nie ma zasadniczo praktycznego zastosowania ze względu na powszechne uświadomienie społeczne — przychodzą do głowy same przez się, w odpowiedniej chwili, bez uprzedniego próbowania. I chociaż pan Paweł Kiercz krzyknął wedle metody drugiej, uczynił to raczej ze względu na wyjątkowość rzeczy zgubionej, instynktownie zaś, jako mędrzec, zastosował metodę mędrców, najkompletniejszą, przezorną i ze wszystkich metod najpewniejszą.

Powóz już był daleko, a on jeszcze stał, właściwie zaś to mu wzruszenie odebrało władzę w nogach. Znam to uczucie z czasów, kiedy mi przyniesiono wiadomość, że wygrałem milion na loterii, co się potem na szczęście okazało nieprawdą, musiałbym bowiem wtedy zapłacić krawca, co jest przeciwnym ludzkiej naturze i niezgodnym z poczuciem sprawiedliwości.

Po chwili dopiero zwrócił pan Kiercz wzrok naokół, zbadał, że nikogo nie ma w pobliżu i że nikt prócz niego nie widział; na wszelki wypadek jednakże, zanim się zbliżył do tego miejsca, gdzie w prochu ziemi walały się perły, uczynił parę kroków tam i z powrotem, chociaż nogi się pod nim trzęsły, a na czoło wyszedł rosisty pot. Serce uderzać w nim poczęło zupełnie nierytmicznie, zaś fala krwi uderzyła mu do głowy, kiedy się pochylił, zgarnął ręką ogromny sznur pereł i nawet na nie nie patrząc — gdyż wzrok miał ustawicznie a czujnie zwrócony przed siebie — ukrył je w kieszeni.

Coś się w nim w tej chwili załamało, jakby go obciążyła nagle waga pereł, pan Kiercz jednakże nie miał czasu na filozoficzne refleksje, cały zajęty lisim rzemiosłem uchodzenia z niebezpiecznego miejsca. Przesąd to jest, że tylko dziki Indianin, i to do tego wyborowy, jakaś „Skórzana Pończocha", „Chytry Lis" albo „Nakrapiany Wąż", tak umie niszczyć za sobą ślady, że sam siebie odnaleźć by nie potrafił — albowiem wszelki cywilizowany człowiek, kiedy mu się sposobność do tego nadarzy, wydobywa do chwilowego użytku z niewiadomego jakiegoś ukrycia taki ogromny zasób złodziejskiego sprytu, że można by tym obdarować wszystkie plemiona Apaczów, Siuksów i Komanczów. Można by to określić zwartym aforyzmem, że złodziej w człowieku rodzi się na poczekaniu i dojrzewa. Jest to niewątpliwym dowodem giętkości inteligencji, która się cudownie do wszystkiego nałamać potrafi, złodziejski bowiem fach jest rzeczą trudną, choć nie wymaga dowodu ukończenia kursów uniwersyteckich. Wszystko już na świecie ma swój szablon i metodę, a tylko w tym właśnie złodziejskim fachu udało się utrzymać w stanie nieskażonym pewną naturalność popędu i indywidualizm w wykonaniu, wskutek czego można słusznie fach ten zaliczać do zawodów wolnych.

Pan Kiercz zaś był człowiekiem inteligentnym, tym też mu łatwiej przyszło wesprzeć rozsądkiem przyrodzone każdemu człowiekowi, a zazwyczaj drzemiące w nim zdolności. On tylko wykonywał automatycznie to, co mu od tej chwili począł podszeptywać złodziejski instynkt. Instynkt zaś miał do niego długą i roztropną mowę:

— Panie Kiercz — mówiło mu coś ze środka — jesteś w tej chwili człowiekiem bogatym. Moje uszanowanie panu, panie Kiercz, niech pan przyjmie moje serdeczne powinszowania. Ale przede wszystkim żadnych wzruszeń i niech pan zrobi wesołą twarz!...

Pan Kiercz otarł ręką spocone czoło i mimo woli się uśmiechnął; zawrócił w jakąś boczną aleję i szedł przed siebie, najdziwaczniej kołując. Spotykanych ludzi widział jak przez mgłę, od czasu do czasu zaś wkładał rękę do kieszeni i z jakąś nabożną trwogą dotykał pereł, które się zwinęły w kłębek jak wąż i jak wąż były zimne.

Ile razy pan Kiercz poczuł ten dziwny, cudowny chłód, tyle razy drgnął, serce poczynało w nim bić żywiej, a rozsądek pracować poczynał w nim usilnie. Pan Kiercz chciał gonić przed siebie, wskoczyć do pierwszej spotkanej dorożki i jechać na gwałt do domu, rozsądek zaś ułapił go za połę surduta i szeptał:

— Powoli, powoli... Mógłby się kto słusznie zastanowić, dlaczego się pan dziś śpieszy, kiedy pan całe życie chodzi z powagą i dostojnie?... Dorożką jechać nie można! Nie daj Boże ślad jakiś albo podejrzenie na pana, można dowiedzieć się od dorożkarza, skąd pan jechał... Na dorożce jest przecież numer, panie Kiercz!

Szedł więc pan Paweł spokojnie nad podziw, chociaż dusza jego była już w domu i przypatrywała się perłom. Wszedł w uczęszczane ulice, gdzie począł spotykać znajomych; nie wiedział, czy to dobrze, czy źle, sądził jednakże, że musi zapewne być cokolwiek blady, co może zastanowić niejednego. Ukradkiem więc przejrzał się w lustrzanych szybach wystawowych, kiedy nagle drgnął: ujrzał w szybie swoją sylwetę całą obwieszoną sznurami pereł i diademami z brylantów, przystanął, był bowiem przed wielkim sklepem jubilerskim. Czuł, że blednie, więc przyśpieszył kroku i począł przechodzić wciąż z jednej strony ulicy na drugą bardzo sprytnie i pomysłowo.

A ze środka słychać było najwyraźniej:

— Panie Kiercz, jesteś pan bardzo bogaty... Moje uszanowanie panu! Ale żonie ani słowa, słyszy pan, ani słowa!...

Nad tym zagadnieniem pan Paweł się zastanowił; przyglądał mu się ze wszystkich stron i dowiódł wreszcie sam sobie historycznie, że ze zwierzenia tajemnicy kobiecie nigdy jeszcze nic dobrego nie wyszło. Słusznie i sprawiedliwie. Wielu przyjemnych ludzi do dziś dnia jeszcze siedzi po kryminałach, a to dlatego, że zawierzyli kobiecie.

— Kobieta — myślał pan Paweł — powinna widzieć szczęście, źródła szczęścia jednakże znać nie powinna. A nuż babie przyjdzie na myśl pójść do kościoła i wyspowiadać się, a wtedy ksiądz każe jej postąpić jak należy pod grozą utraty nieba. Co lepsze w tym wypadku: stracić niebo czy perły?

Pan Kiercz zadrżał na samą myśl i włożył rękę w kieszeń.

— Och, są!...

— Dobry wieczór panu, panie Kiercz — zawołał ktoś w tej chwili.

Pan Paweł w odpowiedzi dwie rzeczy uczynił równocześnie: zaśmiał się i nastraszył się śmiertelnie. Wyjął czym prędzej rękę z kieszeni i ciągle się uśmiechając, uchylił kapelusza. Jakiś znajomy przeszedł tuż obok niego, ale go Kiercz nie poznał; przyśpieszył jednakże kroku i szedł już prosto ku domowi, coraz bardziej mu się bowiem czyniło gorąco i coraz więcej był spocony.

W domu nastraszył się światła; żona siedziała przy lampie i czytała jakąś opuchłą książkę, co Kierczowi było na rękę, udał bowiem, że jej nie chce przeszkadzać i poszedł do swojego pokoju. Myślał o tym, jak by niewidocznie zamknąć drzwi na klucz, ale się bał, że to może zwrócić uwagę. Po godzinie zastanowienia się wpadł na genialny koncept, udał się bowiem ze swoim skarbem do lokalu, z wejścia do którego przyzwoity człowiek nigdy i nikomu sprawy nie zdaje. Zamknięcie się w nim na klucz jest również uzasadnione obyczajową tradycją.

Zachowywał się cicho jak mysz. Wydobył perły z ukrycia i poczuł, że mu w gardle zasycha: był to ogromny bicz pereł wielkich, cudownie lśniących, z różowym odcieniem, bardzo ciężkich.

Panu Kierczowi uczyniło się słabo.

— Milion! — pomyślał i począł liczyć perły szeptem, jakby w tym nieodpowiednim na modlitwy miejscu odmawiał różaniec. Był już przy dziewięćdziesiątej, kiedy nagle ozwało się dyskretne pukanie do drzwi.

— Pawełku, czyś nie zachorował? — pytała żona.

Pan Kiercz zadrżał i ukrył perły błyskawicznym ruchem. Pojął, że stracił rachubę czasu i przesiedział tu pół godziny co najmniej, w każdym razie troskliwość żony była uzasadniona. Uspokoił ją tedy czym prędzej.

Pan Paweł poczuł się jednak wkrótce naprawdę chorym; panował nad sobą siłą woli, czuł jednakże, że się siły jego wyczerpują i że zdenerwowanie nie da się ukryć; uśmiechał się wprawdzie wesoło dziwną aktorską sztuką, ale ręce mu drżały nieznośnie. Jeść nie mógł nic, a musiał, żeby nie okazać, że coś się w nim zmieniło — jadł więc z rozpaczą i trudem; zdawało mu się, że własnymi szczękami własne obolałe żuje serce. Czuł jednakże, że z każdą godziną jest mu gorzej, zaczynał się bowiem obawiać nocy.

Co on zrobi z perłami? W ubraniu ich nie pozostawi, choćby dlatego, że mu żona zawsze w nocy przeszukuje kieszenie, pod poduszką ich nie schowa, bo może jej wpaść do głowy wsadzenie ręki pod jego poduszkę. A niechby tak na dobitek nagła żądza u połowicy i wizyta w jego łożu? Ha! Pan Kiercz czuł, że dostaje gorączki.

Zwlekał, jak tylko mógł, chwilę udania się na spoczynek, chcąc zyskać na czasie potrzebnym mu do ułożenia planu. Miał ich tysiąc, a żaden nie był dobry. Mrużył oczy nerwowo, targał serwetkę i myślał, coraz więcej zmęczony, tak że wreszcie z trudem podniósł się z krzesła. Czekał teraz tylko szczęśliwej chwili natchnienia, wiedząc o tym, że czasem i rozpacz wcale udatne miewa pomysły; wiedział i o tym także, że czasem najgłupszy i najprostszy pomysł jest w praktyce genialnym; kiedy mu więc pozostała chwila swobody i kiedy na moment pozostał samotnym we wspólnej małżeńskiej sypialni, zdjął szybko but i włożył perły do jego obszernego wnętrza. Czuł, że jest w tej chwili bardzo blady, więc odwracał twarz od światła, kiedy połowica przyszła legnąć w łożu jak szczęśliwy dzik w miękkim, ciepłym bagnie. Jęknął nagle sprężynowy materac i po chwili cisza zaległa równo oddychająca.

Pan Kiercz nie spał: nasłuchiwał czujnie miarowego oddechu żony, sam zaś udawał gwizdem przez nos, że i jego sen ogarnął; oczy szeroko otwarte wymierzył na but i pilnował go wzrokiem niezmiernie czujnym. Rozmyślał równocześnie nad tym, co on ma teraz właściwie uczynić?

Rozpacz spojrzała na niego z mrocznego kąta pokoju. Zasnąć nie mógł, bo a nuż, zmęczony do ostateczności, będzie nazajutrz spać długo, a służąca zabierze rano buty, z których jeden wart był milion?! Bał się poruszyć, aby nie zbudzić żony, która gotowa się zdumieć dziwnym jego zachowaniem, na które już przedtem patrzyła dość podejrzliwie. A zmęczenie teraz dopiero rozparło się w nim leniwie, ołowiane powieki zapadały się same, ciężko jak wieko u skrzyni.

Rozpacz... rozpacz... rozpacz...

Pan Kiercz słyszał północ, słyszał pierwszą i drugą, i trzecią godzinę. Zmęczenie zaczęło go boleć, ale przecież nie usnął. Zbierało mu się właściwie na płacz, tak się czuł biednym i pokrzywdzonym, a przy tym wszystkim niesłychanie bezradnym. Zaś w bucie prawej nogi spał sobie spokojnym, beztroskim, zimnym snem — milion.

Umęczony mózg szczęśliwego przez całe życie pana Kiercza rozważał. Zrozumiał pan Paweł, że dotąd ze swym dochodzikiem był nędzarzem, i pojął, że był właściwie bardzo nieszczęśliwym. Kto on był? Co był wart? Co mógł zdziałać? Nic. A kimże jest teraz Paweł Kiercz? „Nazywam się milion" — szepnął sam sobie w zachwycie i nie zauważył, że go chłód nocny, a równocześnie i gorączka trzęsą niemiłosiernie. Rozmyślał dalej, że kiedy sprawa zguby, która jutro zapewne poruszy całą Warszawę, ucichnie za rok czy dwa, sprzeda perły w jakiś sposób, który później obmyśli, da z całą pewnością tysiąc rubli na biednych, a potem...

Pan Paweł spojrzał w tej chwili na but, który się rysował w mroku, i ujrzał najwyraźniej wydobywającą się z jego wnętrza srebrzystą poświatę — więc na chwilę z rozkoszy przymknął oczy. Dziwne się przed nim w tejże chwili otwarły raje, wspaniałe, tęczowe zalśniły obrazy, które jednakże nie zdołały uśpić cierpliwej czujności pana Pawła; w jednej chwili bowiem wytrzeszczył on oczy i dech powstrzymał w piersi; słyszał bicie krwi w skroniach i czuł, że włosy mu się jeżą na głowie: oto z rogu pokoju zbliżał się ktoś w stronę wypchanego perłami buta, wyciągnąwszy przed siebie dwie olbrzymie, zachłanne złodziejskie ręce. Pan Kiercz chciał krzyknąć, lecz nie mógł, głos mu z lęku uwiązł w gardle, śmiertelnie więc przerażony, jak mógł tylko najszerzej otworzył oczy i gotów był w każdej chwili do skoku i do obrony swoich pereł. Tajemnicza postać szła w jego stronę powoli, rosnąc za każdym krokiem, bezgłośna, przyczajona i ukryta tak, że twarzy jej dojrzeć nie mógł, widocznie więc była w masce, widział jedynie jej potworne zarysy.

Już... już... była przy nim, kiedy nim nagle podrzucił śmiertelny lęk, tak że się porwał z łóżka i czekał gotów bronić się rękoma, nogami i zębami, gdyż je wyszczerzył straszliwie i czekał. Przed oczyma miał krwawe koła, wirujące coraz szybszym ruchem, w ich zaś ośrodku, jak w okropnej aureoli — ktoś się zbliżał. Więc pan Kiercz zsunął się tygrysim ruchem z łoża i począł sam iść ku widmu drżący z zimna, choć go oblewał już nie siódmy, ale czternasty pot, i szedł cały w furii, pochłonięty rozpaczą, i kiedy mu się zdawało, że jest już blisko, wyprężył się i podskoczył, chcąc chwycić zbójcę za gardło, głowę zaś sam równocześnie pochylił, aby ujść tego samego ze strony wroga. Równocześnie uderzył capią modą głową w pierś łotra, wróg zaś znakomicie uderzony głośno zadudnił, jakby się waliła kamienica, i stał nieporuszony, albowiem szafa ma ten zwyczaj, że jej nic nie wzrusza, nawet jeśli ją kto bierze za upiora. Głupi sprzęt.

Jęknął pan Kiercz i otrzeźwiał. Czuł we łbie mocny ból, albowiem szafa była solidnie dębowa; w oczach rozbłysnął mu od razu siedmioramienny świecznik i równie od razu zagasnął. Równocześnie jednakże usłyszał pan Paweł przejmujący i serdeczny wrzask swojej żony, potem trzask zapałek. Przerażenie pani Kierczowej nie miało granic, nawet piersi trzęsły się jej ze strachu na widok bladego męża, który się słaniał na nagich, kosmatych nogach, jedną zaś ręką trzymał się za głowę. Pan Kiercz jednakże szybko sobą zawładnął, bo się nawet uśmiechnął tym śmiechem, którym się nieboszczyk zazwyczaj uśmiecha do powały, nie ostudził tym jednakże przerażenia żony.

Długo nie mogło usnąć biedactwo mimo zapewnień, że pan Kiercz miał tylko zły sen, bo mu się śniło mianowicie, że mu ktoś chce widelcem wyłupić lewe oko, więc się przez sen porwał na zbójcę. Pan Paweł legł z powrotem na madejowym swoim łożu, położył się zaś z tym uczuciem, że się we własną kładzie trumnę. Rozbity był na ciele i na duszy; łeb go bolał nieznośnie, jakby się rozpękł na dwie połowy, dusza popękała w nim jak lustro na kilka części. Strach go wyczerpał, zmęczenie zaś i bezsenność dobijały go powoli, umiejętnie, cierpliwie i systematycznie. W pewnej chwili było mu wszystko jedno, jak człowiekowi, który znużony błądzeniem wśród śnieżystej zawiei, kładzie się wreszcie w śnieg i czeka śmierci. Byle zasnąć... byle zasnąć... Przez myśl mu przebiegło, aby wstać odważnie, chwycić ten but nieszczęsny zamieniony czasowo na perłową konchę i cisnąć nim przez okno na ulicę — niech go bierze, kto chce. Ale się pomysłowi temu, zgoła głupiemu, oparła mądra część jego duszy.

— Panie Kiercz — mówił mu rozsądek niesamowitym szeptem — czyś pan oszalał? Chce pan za okno wyrzucić milion? Nie możesz trochę pocierpieć? Dla stu rubli toś pracował przez dziesięć nocy, a dla miliona żal ci jednej? Panie Kiercz, panie Pawle!

Uznał te wszystkie racje pan Paweł i zaakceptował je; jednakowoż poczuł się tak biednym, że mu się z oczu potoczyły łzy jak perły... I użalił się sam nad sobą:

— Po co mnie właśnie diabli nadali tę historię? Nie mógł tego znaleźć kto inny?

Zaledwie to jednak pomyślał, a mróz po nim przebiegł na samą myśl, że to naprawdę mógł znaleźć kto inny. Że jednak najtwardszy zbrodniarz ma w sobie ziarnko sumienia, pan Kiercz zaś nie był zbrodniarzem, lecz człowiekiem roztropnym, więc się w nim budzić poczęły refleksje:

— Gdyby powóz był miał numer, odniósłbym jutro i oddał. A tak komuż je oddam?

Uwadze tej bezwarunkowo nie można było odmówić słuszności, jak i dalszym pana Pawła spostrzeżeniom na ten temat, które orzekły, że jeśli kto tak łatwo gubi perły, które są warte krocie, ten pewnie biedny nie jest, a ileż to łez i krzywd można będzie otrzeć za ten majątek. Co do tego ocierania łez i niweczenia krzywd pan Kiercz nie miał jeszcze sformułowanego programu, na wszelki jednak wypadek uczynił tę uwagę, aby się we własnych oczach wydać jako tako. Sam zresztą czuł się w tej chwili bardzo pokrzywdzonym, po twarzy zaś spływały mu jego własne łzy ani lepsze, ani też gorsze od innych.

Wiele, wiele jeszcze przemyślał pan Paweł na pół majacząc, dlatego nie notujemy dokładnie tych doskonałych moralnych dysertacji, trzeba by bowiem złote ziarna wyłuskiwać z plew gorączki. Oka jednakże nie zmrużył niezłomny strażnik cudownych pereł, gotów oddać za nie życie. Stawały mu się one z każdą chwilą droższe, droższą bowiem i cenniejszą staje się dla nas rzecz, dla której człowiek wiele wycierpiał i którą okupił bólem. Zdanie to, piękne i mądre, które by doskonale mogło służyć do częstego przepisywania we wzorach kaligraficznych, żywy miało dowód w panu Pawle, który równo z pierwszym promieniem słońca — co zachłannie i zgoła bezwstydnie legło złotą plamą na odsłoniętych piersiach pani Kierczowej — podniósł się ciężko z łoża. Zatoczył się jak pijany, potem ubrał się cichutko i starannie ukrył w kieszeni perły, owinąwszy je w chustkę od nosa.

Z panią zaś Kierczową powstał tego dnia z pościeli i jej o męża niepokój. Przyglądała mu się pilnie przy śniadaniu i na chwilę zaniemówiła. Potem dopiero rzecze:

— Aleś ty zielony, nie daj Boże! A tobie co się stało?

Pan Kiercz coś bąknął.

— Żółć czy co, na psa urok? — pytała żona.

— Źle spałem — odrzekł pan Kiercz.

— Kolacja ci może zaszkodziła? Chlałeś po baraninie wodę, jakbyś węgiel miał w żołądku...

— Ech, nie, tylko widzisz, taki dziwny sen. Już ci mówiłem: z widelcem mi do oka!... pomyśl sobie...

— Rzeczywiście, także sen... Maryniu!

Przyszła Marynia, wielki tłumok, służąca wierna, pilna, pracowita i bardzo pyskata.

— Słuchaj no, Maryniu. Co to znaczy, kiedy się śni, że ktoś chce widelcem wydłubać oko?

Pan Kiercz był mocno niezadowolony, Marynia zaś długo, bardzo długo myślała.

— A widelec jaki był, srebrny?

— Jaki widelec, Pawełku?

Pan Kiercz począł sobie gwałtownie przypominać.

— Aha, srebrny!

— To źle! — rzekła Marysia.

Państwo Kierczowie spojrzeli na nią z przerażeniem.

— A które oko? — pyta wierny tłumok.

— Lewe...

— To także bardzo źle. Prawe byłoby lepiej.

— Dlaczego lepiej?

— Bo „oka prawa radość dawa, oka lewa łza wylewa"... — wygłosiła Marysia okulistyczną sentencję litewską. — A ten cały sen, to mi się nie podoba; znaczy, że będzie wielkie nieszczęście w domu z powodu znalezionej rzeczy.

W pana Kiercza jakby piorun ugodził; zmienił się na twarzy, pobladł, potem poczerwieniał, potem gwałtownym, obłąkanym ruchem chwycił nóż i chciał go utopić w nabrzmiałej piersi wiernej i pyskatej służącej. Byłby jej zbyt wielkiej szkody nie zrobił, bo aby przez te górskie zwały i przez te wyniosłe wielbłądzie garby dostać się do jej serca, na to trzeba by było harpuna, używanego do zabijania wielorybów — mocno jednakże dziewicę przestraszył.

Bardzo się źle zaczął ten dzień, bardzo źle. Kiedy się bowiem już jako tako uspokoiło w domu po tym wybuchu pana Pawła i kiedy Marynia ulżyła sobie wytłukłszy wszystkie płaskie i głębokie talerze, pani Kierczowa zabrała się do czytania gazety, pan Paweł zaś, mocno sfatygowany, drzemał na fotelu, czujny jak żuraw.

— Słyszałeś? — mówi nagle pani Kierczowa.

— Nic nie słyszałem, daj mi pokój!

— Ładne musiały być perły...

Pan Kiercz otworzył oczy, jakby nagle zobaczył upiora.

— Jakie p... perły?...

Tedy zostało mu odczytane głośno:

...Wczoraj zgubiła pani baronowa Iza Gutta-Percha bezcenne perły, należące do rodzinnych klejnotów szanownej tej rodziny. Nie można ściśle określić ich wartości, wśród pereł tych bowiem były egzemplarze niesłychanej rzadkości. Największa środkowa perła, pochodząca ze skarbca najbogatszego maharadży indyjskiego, kosztowała wiele żywotów ludzkich i wiele krwi, i może to dlatego, przez dziwny tragizm losu miała ona prześliczny odcień różowawy. Są to perły bez ceny. Znalazca dotąd się nie zgłosił; otrzymałby on dziesięć procent wartości wedle oceny sądu, a więc mały majątek. Niestety! — wątpić trzeba, czy znajdzie się człowiek tak uczciwy, który by oddał znalezione krocie tysięcy...

— Pewnie jakiś złodziej znalazł — westchnęła pani Kierczowa — porządny człowiek nie ma szczęścia...

Pan Paweł Kiercz zemdlał...

Minęły od tego czasu dwa tygodnie.

Po świecie chodziło widmo człowieka, który się kiedyś nazywał Pawłem Kierczem; skóra na nim pożółkła, wychudł, miał ustawiczną gorączkę. Od dwóch tygodni człowiek ten nie zmrużył oka. Żona patrzyła na to wszystko przerażona, lamentowała, dawała na msze — nic nie pomagało. W dzień to się czasem zdrzemnął, ale budził go najmniejszy szelest; wtedy się zrywał przerażony i obiema rękami chwytał się za piersi, dziwnie wzdęte. Zdawało się, że między piersiami państwa Kierczów nie było już teraz różnicy, Kiercz bowiem nosił teraz swój skarb na piersi w irchowym woreczku.

Czasem znów godzinami całymi przeglądał encyklopedie, albo też wertował stosy jubilerskich cenników; gdziekolwiek można było cokolwiek przeczytać o perłach, to wszystko pan Kiercz przeczytał. Jeść nie mógł, tylko wypijał morze wody, wreszcie się począł słaniać na nogach. Zniósł czcigodną instytucję wspólnej sypialni i sypiał w oddzielnym pokoju, u którego drzwi poprzybijał wymyślne stalowe zamki, w okno zaś kazał wprawić kraty. Nie ulegało najmniejszej wątpliwości, że pan Kiercz zwariował lub co najmniej, że wariuje powoli, ratami;

takie przynajmniej przekonanie miała o nim pani Kierczowa, która jednego dnia uklękła przed nim niespodzianie i poczęła go błagać, aby poszedł po poradę do lekarza. Nie chciała mu powiedzieć wprost, żeby sobie dał opukać głowę, zwróciła więc jego uwagę na inną część ciała, chcąc pośrednio wskazać na źródło choroby.

— Pawełku — powiada — idź do doktora...

Pan Kiercz spojrzał na nią błędnie.

— Idź, na miłość boską!

— Nic mi nie jest, nie pójdę...

— Jak to nic? Daj sobie tylko zbadać piersi...

O nieszczęsne słowo! Usłyszawszy je, wściekł się pan Kiercz i oto małżeńskie szczęście odleciało jak złote ptaszę, albowiem pan Kiercz rzucił się na żonę jak tygrys i sprał ją, od zmysłów odszedłszy. Pozostawił na niej sińce dość dużych wymiarów, uszkodził jej ucho, które spuchło niepomiernie, a w garści pozostał mu kosmyk, rzewny kosmyk lnianych włosów żony.

To był początek tragedii.

Zauważył widocznie pan Kiercz, że mu trochę ruchu w jego zdenerwowaniu pomaga, stosować tedy począł częściej tę leczniczą metodę. Po kilku tygodniach nie mijał już ani jeden dzień bez takiego „kwadransu dla zdrowia", co miało skutek zgoła poważny. Krzyki pani Kierczowej wybiegły na ulicę, z ulicy do konsystorza i oto pewnego dnia pan Kiercz pozostał samotny, otrzymawszy separację od stołu i łoża, z tych dwóch bowiem sprzętów poza trumną składa się ulegalizowane życie ludzkie.

Wtedy zaczął bijać służącą, od której otrzymał separację jeszcze łatwiej.

Został wreszcie zupełnie sam i wtedy pierwszą jego myślą była myśl szczęśliwa o tym, że będzie się mógł wyspać.

Przez cały dzień oglądał swój skarb: dotykał każdej perły, sto razy z rzędu je liczył, obliczał wartość każdej z osobna i wszystkich razem; oświetlał je z różnych stron, wkładał je na szyję i wystawał godzinami przed lustrem. Pod wieczór zaś zajął się dziwną robotą: odwrócił łóżko do góry nogami i w jednej z nich począł wiercić mozolnie dziurę; zmęczył się i spocił, wreszcie jednak, owinąwszy perły starannie watą, wetknął je w otwór nogi, zabił go deszczułką, odwrócił łóżko i legł na nim naprawdę po raz pierwszy.

Chciał zasnąć. Śmiertelne zmęczenie zmieniło go w drewno, toteż w istocie zasnął w tejże samej chwili. Spał snem kamiennym, a jednak około północy zerwał się nagle, zapalił świecę i znów wywracał łóżko, badając, czy perły są na swoim miejscu. Rozumiał doskonale, że postępuje jak wariat, ale nie mógł inaczej.

Za to we dnie rozmyślał głęboko: rozważał, co należy uczynić, aby perły sprzedać bez katastrofy, obliczał majątek i układał plany. Na pierwszym była naturalnie Ameryka, gdzie spędzi resztę życia w dostatku i rozkoszach, które mu nagrodzą obecne udręczenia. Trzeba było jednakże czekać na to jeszcze bardzo długo. Jeszcze od czasu do czasu, jak ostatnie krople po burzy, ukazywały się w pismach notatki donoszące, że po słynnych perłach baronowej Gutta-Perchi wszelki ślad zaginął. Zapewne wszyscy jubilerzy świata powiadomieni byli o zgubie, czuwała zapewne policja całej ziemi. Właściwie jednak to pan Kiercz miał w całej swojej udręce poczucie pewnej dumy. „Wszyscy jubilerzy świata i policja całej ziemi" — a tu on jeden ze swoim skarbem, bezpieczny i mądry.

Jednego tylko nie zauważył, tego mianowicie, że zupełnie zapomniał się śmiać. Kiedy spojrzał w lustro, widział twarz śmiertelnie wylękłą, zapadłe, opętane gorączką oczy i żółtą skórę. Ręce mu drżały nieznośnie, chodził nawet z trudnością. Do domu nikogo nie wpuszczał, opatrzone srogim łańcuchem drzwi uchylał tylko tyle, aby przez nie mógł odbierać przynoszone mu do domu pożywienie. Zapomniał o całym świecie, jak też i o nim wszyscy zapomnieli, jakby umarł. Miał zresztą sam to wrażenie, że jest w grobie, nadzieja jednakże zmartwychpowstania w chwale i bogactwie trzymała go przy życiu.

Minął wreszcie rok cały tych męczarni.

Pan Kiercz począł rozmyślać nad urzeczywistnieniem planów. Stało się tedy pewnego dnia, że się pan Kiercz spakował, w przeciągu paru godzin sprzedał wszystko Żydkom za psie pieniądze, przeżegnał się i pojechał do Paryża. Znał z cenników na pamięć wszystkie firmy jubilerskie; całymi dniami chodził po ulicy Royal i po de la Paix i przystawał przed każdym wystawowym oknem, ostrożnie zaglądając do środka.

Aż jednego dnia zwiódł z jedwabnego sznurka trzy najmniejsze perły, poszedł do kościoła i długo a żarliwie się modlił. Potem pewnie, niesłychanie pewnie, śmiertelnym wysiłkiem woli zmógłszy śmiertelną trwogę, wszedł do sklepu największego paryskiego jubilera.

— Czym panu mogę służyć?

Kiercz zachwiał się na nogach, równocześnie spokojnie wyjmował różowe, śliczne perełki, owinięte w jedwabistą bibułkę.

— Chciałbym to sprzedać!... — rzekł cicho, lecz niemalże nonszalancko.

Siwy staruszek, jubiler, zanim spojrzał na perły, począł się przyglądać jemu przede wszystkim, i to bardzo badawczo: kiedy się pan Kiercz spotkał z jego wzrokiem, pomyślał błyskawicznie, że jeszcze jest czas, aby uciec; strach równocześnie przykuł go do ziemi.

— Co to jest? — zapytał jubiler.

— Perły... trzy perły... bardzo piękne...

— Proszę pokazać.

Staruszek wziął je w palce, podszedł do światła i spojrzał. Z pereł przeniósł wzrok na Kiercza, potem znów zaczął badać klejnoty. Kierczowi oddech zaparło w piersi, drżeć począł na całym ciele i czekał, wodząc oczyma za rękami jubilera, który nagle poczerwieniał, zawinął szybko perły w bibułkę i oddając je Kierczowi rzekł mu podniesionym głosem:

— Idź pan z tym natychmiast, zanim będę miał czas zawołać policjanta!

— Jezus Maria! — krzyknął Kiercz zduszonym głosem i jednym jelenim susem był za drzwiami.

Pot mu wyszedł na czoło, strach gonił go po ulicach jak ogar; wskoczył do automobilu i kazał się wieźć na drugi koniec Paryża, oglądając się od czasu do czasu, czy go kto nie tropi. Nie mógł zebrać myśli, to jedno tylko wykombinował, że staruszek jubiler to musi być bardzo zacny człowiek. Poznał perły i nie kazał go zamknąć, choć mógł. Jeszcze go ostrzegł.

Straszną noc spędził w hotelu. Na drugi dzień był już w drodze do Wenecji.

Przesiedział w niej miesiąc, zanim się odważył wejść do jubilerskiego sklepu na placu św. Marka; byłby się może jeszcze na tę odwagę nie zdobył, lecz musiał: pieniądze mu się skończyły, miał w kieszeni parę franków zaledwie.

Powtórzyła się historia z Paryża, lecz z innym skutkiem. Przyjął go jubiler bardzo grzeczny, gładki i młody. Obejrzał trzy perły i uśmiechnął się. To był dobry znak.

— Nie zna ich! — pomyślał Kiercz i otucha w niego wstąpiła.

— Pan je chce sprzedać? — zapytał jubiler.

— Właściwie nie — odrzekł Kiercz bardzo chytrze — ale są mi niepotrzebne.

— Ma pan więcej takich?

— Owszem, owszem... Może bym znalazł...

— Takie same?

Jubiler w tym miejscu znowu się uśmiechnął.

— I takie same, i większe... To rodzinne...

— Może mi je pan pokazać?

Kierczowi było wszystko jedno.

— Albo majątek, albo kryminał — pomyślał — raz trzeba skończyć...

Wydobył z kieszeni ogromny sznur pereł i położył je ostrożnie na szkle stołu.

Jubiler wziął je w rękę wciąż uśmiechnięty, i ważył je wesoło.

— Owszem — rzekł — mogę kupić, ale wszystkie.

Niebo się otworzyło przed Kierczem. Jubiler zaś patrzył na niego z nadzwyczajnym uśmiechem.

— Ile pan chce za to?

Kiercz obliczył już dawno.

— Milion dwakroć! — rzekł dobitnie, w myśli zaś postanowił owe dwakroć opuścić przy targu.

— Dam panu... co by tu panu za to dać? Widzi pan, trzeba mi tych pereł na prezent dla kucharki. Dam panu dwadzieścia franków... Dam trzydzieści bez targu. Ale żart się panu udał. Ten milion był doskonały!...

I począł się śmiać na całe gardło.

Kiercz pobladł jak śmierć.

— To te perły są fałszywe?...

Jubiler spoważniał.

— Jak to? pan o tym nie wiedział?

Kierczowi coś się stało w gardle i nic nie odpowiedział, jubiler zaś spojrzał na niego z litością.

— Biedny wariat! — pomyślał i dodał oddając mu perły: — Niech je pan weźmie z powrotem, pan je widocznie bardzo ceni i kocha...

Z oczu pana Pawła Kiercza leciały łzy, duże jak największe z jego pereł. Piersią wstrząsało łkanie. Tak, on je bardzo kocha. Wziął je drżącą ręką i zataczając się wyszedł.

Tego dnia powiesił się w Wenecji, w hotelowym pokoju Paweł Kiercz z Warszawy. Samobójstwo to dlatego było głośne, że oryginalne; biedny ten człowiek powiesił się bowiem na ogromnym sznurze pereł.

o wieprzach

Szymon Chrząszcz znieważa sakrament małżeństwa

Wielu miałem przyjaciół malarzy, albowiem człowiek z zasadami demokratycznymi nie jest zbytnio wybredny; wiele też z tego powodu zniosłem utrapień, co opisywałem już niejednokrotnie, taki bowiem stwór boski od pędzla żyje niespokojnie i ma czasem pomysły zgoła obłąkane, czasem zaś — od święta — nawet takie, których by się wstydził uczciwy, o dobrą opinię dbający wariat zawodowy. Z wielkim też smutkiem opowiedziałem w jednej z najmniej mądrych moich książek o malarzu Szymonie Chrząszczu, który zapragnąwszy skończyć samobójstwem, nie tylko że sam nie zepsuł kuli, która miała roztrzaskać mu głowę, ale i drugiemu dżentelmenowi zastrzelić się nie dał, bo to już taka łajdacka, malarska natura.

Ten ci to Chrząszcz (trzeba być malarzem albo zbrodniarzem typowym, aby sobie takie wykoncypować nazwisko) wielkim mnie potem napełnił zmartwieniem, kiedy w sprawie rozwodów pisać postanowił memoriał do papieża. Rozmaite go się czepiały pomysły, mniej lub więcej silnie dowodzące rozmiękczenia mózgu i nerwowego rozstroju, chociaż czasem nie można było odmówić logiczności jego zbrodniczym postępkom albo też prostoty w ujęciu złodziejskiego tematu. Wielkie, słynne w dziejach kryminalistyki zbrodnie tym się zawsze odznaczają, że są zdumiewająco proste.

Tak też było w sprawie: Róża Gebetbuch kontra Szymon Chrząszcz.

Niewiasta owa miała przedziwne to szczęście, że się do jej kamienicy sprowadził z całym swoim dobytkiem ten mój przyjaciel. Pokój miał pierwszej klasy z kaflanym piecem i z hakiem na lampę prawie w samym środku sufitu; jednakże tych symbolów wymyślnego komfortu używał Chrząszcz zupełnie nieprawidłowo, gdyż na haku wisiał manekin, jako model do znakomitego obrazu *Wisielec w parku*, do którego twarzy ja znów pozowałem. Wedle zdania bowiem mojego przyjaciela trudno było o znalezienie lepszej fizjognomii dla wisielca, niźli była moja, tym bardziej że z dość uporczywego głodu miałem wonczas twarz przemile zieloną z lekkim, uroczym, żółtym odcieniem. Piec zaś zastępował staropolski lamus, w którym Chrząszcz chował śmiecie, jakieś butelki, kołnierzyki i mankiety, aby się nie błąkały po apartamencie, listy od krawca i szewca, pozwy sądowe, parę moich książek, kalosz, od którego nie było pary, fotografie kilku swoich narzeczonych z trzydniowym wypowiedzeniem i inne takie rzeczy pamiątkowe, wielkim owiane sentymentem, a czasem prawdziwą miłością.

O ten piec właśnie była awantura, był to bowiem sprzęt dość szanowny, bo uczyniony z kafli, na każdej zaś jaśniała na zielono uczyniona burbońska lilia. Stało się tedy jednego dnia, że Chrząszcz zwołał Żydki rozmaite, a swoje przyjacioły, i długo, długo coś z nimi gadał. Narada była niesłychanie tajemnicza, choć bardzo ożywiona, skończyła się zaś tym, że Żydki rozebrały piec po jednej kafelce i wyniosły po cichu z kamienicy, która mimo to stała dalej. Wyrwiesz człowiekowi ząb, a przecież jeszcze nie kona, jeden tedy piec mniej, jeden więcej żadnej jeszcze kamienicy nie zaszkodził. Rozumowanie jest co najmniej słuszne, zależy tylko, z jakiego patrzeć na to punktu.

Aż tu przychodzi do pana Szymona Chrząszcza pani Róża Gebetbuch.

— Dzień dobry panu, panie Chrząszcz!

— Dzień dobry pani! pani jest coraz ładniejsza, pani Gebetbuch. Pani pewnie po komorne?

— Jak pan może mówić podobną niewłaściwość? Ja się chciałam tylko przekonać, czy pan zdrów, bo mi mówili, że pan źle wygląda! Ale jak mi pan przypomniał komorne, to możemy i o tym pogadać. Panie Chrząszcz!

— Co się pani stało?

— Panie Chrząszcz! Czy mi się śni?

— Nie, tylko pani jest bardzo do twarzy, kiedy pani jest zdumiona.

— To jest... ja nie wiem, co to jest... to jest rozbój! Gdzie jest piec?

Chrząszcz się nasrożył, zmarszczył swoje sumiaste brwi, a na twarz spłynęła mu straszliwa fala oburzenia. Spojrzał w kąt, gdzie w istocie nie stało nic takiego, co by mogło przypominać ów sprzęt. I jak człowiek poruszony do żywego wyrządzoną mu krzywdą zawołał:

— To tutaj nie ma nawet pieca? A do stu diabłów, to ładne mieszkanie!

— Panie Chrząszcz, gdzie jest piec?

— Dobrze, że mi pani zwróciła uwagę, dzisiaj się wyprowadzam, ładne mieszkanie!

Sprowadził się potem do mnie, co przyjąłem z oznakami szczerego zachwytu, bo zawsze, co dwóch, to nie jeden, a Chrząszcz do tego był bardzo mocny, kiedy zaś wpadł w szał, był nawet straszny. Złamać komuś nogę, to tak jak złamać wykałaczkę; bardzo to tedy było ładnie, kiedy się rano odzywa charakterystyczne pukanie do drzwi, bośmy dzwonka nie mieli.

— Chrząszcz, idź otwórz — powiadam — ktoś „dzwoni".

On wdziewał na siebie jakiś chiton, w który stroił modela, rozburzał sobie ręką włosy i otwierał drzwi.

— Do kogo?

— Nie do pana... Ja w sprawie tych dwóch rubli za kanapę... Ja już trzeci miesiąc... Niech panowie oddadzą kanapę...

A Chrząszcz pytał najniespodziewaniej:

— Co dzisiaj jest za dzień?

— Co to znaczy „za dzień"?

— Ja się pana pytam, co dziś za dzień?

— Wszystko jedno, dzisiaj jest piątek...

— No to pan umrzesz w piątek!

— Co to jest „umrzesz w piątek"? Ja umrę, kiedy mnie się spodoba...

— Nieprawda, bo pan umrzesz, kiedy mnie się spodoba. Ja dziś mam taki humor, że muszę kogoś zabić. Może się pan chce ze mną bić? Ja panu potem oddam kanapę, abyś się miał na czym położyć...

Wtedy już Chrząszcz gadał do powietrza, albowiem baletnica takich nie czyni skoków ani jeleń, jak ów człowiek poczciwy.

Chrząszcz zresztą bardzo lubił załatwiać wszelkie takie interesy i bardzo nam się dobrze działo, byliśmy bowiem w kamienicy ludzie popularni i otoczeni nie tyle szacunkiem, ile ludzką miłością. Kochały nas przede wszystkim wszystkie kucharki, jako że ten odłam kobiecej społeczności ma serce dziwnie dobre i poczciwe, choć pysk każda pieprzem ma zaprawny i imbirem. W Chrząszczu się wszystkie kochały przede wszystkim dlatego, że się ślicznie nazywał i według ich „gustu", i dlatego także, że bestia była srodze w ramionach rozrosła; ja zaś miałem od suteren do trzeciego piętra niesłychaną sławę literacką, z czego przy sprzyjających warunkach można było żyć wcale dostatnio; ja załatwiałem korespondencję miłosną całej kamienicy, a pisałem tak dziwnie czule i wzruszająco, że potrafiłem zdobyć jednej kucharce z powrotem narzeczonego, który zdawał się na wieki stracony, opętany bowiem został przez heterę „kapeluszową", kasjerkę z kinematografu.

Sztuka pisania listów miłosnych jest rzeczą trudną w ogóle, list miłosny jednakże, przeznaczony dla policjanta, strażaka, woźnego od akcyzy, a już najgorzej kaprala od piechoty, jest rzeczą trudną niesłychanie, potrzebne jest do tej imprezy cudowne wżycie się w te zacne dusze i stosowanie się subtelne do okoliczności i do społecznego stanowiska oblubieńca, zawsze jednakże motywem przewodnim takiej epistoły musi być wielka i bezbrzeżna tęsknota, akcent poddania się i uznania niezmiernej jego duchowej przewagi, koniecznie są jednakże wplątane w to wszystko zwroty silne, zdecydowane i obrazowe:

Bo ci, duszo mojej duszy, jeszcze Matka Boska nogi i ręce połamie za to moje nieszczęście i za tę moją krzywdę, ale Ty tego nie doczekasz, kochanku mój i ulubienie moje, bo taki prosty cham i taki kieszonkowy złodziej cieszyć się nie będzie, aby biedna dziewczyna przez niego ślipia wypłakała.

Albo tak lirycznie:

...Na łące mi przysięgałeś, na trawce majowej klęczałeś, słoneczko widziało, serce moje płakało. Gdzie ty teraz jesteś, kiedy ja się tak skarżę jak ptaszyna, co straciła matkę i ojca? A ja wiem, gdzie ty jesteś. Serce moje ma cztery oczy i wszystko widzi, choć wszystkie oczy mam zapłakane, ale tę lafiryndę jeszcze zobaczę i kiszki z niej wypruję, żebym nawet w kryminale zginąć miała z twoim, Jasiu, imieniem na ustach w mej ostatniej godzinie, i kapelusz jej zedrę na ulicy, i po mordzie ją spiorę, na co ci przysięgam na twoją i moją miłość, bom się w Tobie zakochała na moje nieszczęście i ręce zarobiłam do łokci, aby ci te trzy koszule kupić, ale ty je nosić będziesz na śmiertelnej pościeli...

Ja pisałem, jakaś biedna Kasia siedziała przy mnie i wypłakiwała swój ból do kałamarza, a Chrząszcz egzekwował honoraria. Znosił ci do domu kawę, cukier, herbatę, pieprz i sól, czasem cielęcinę na zimno, cztery polana drzewa, wszystko to jednym słowem, co kucharka może ukraść w solidnym domu bez zwrócenia uwagi. A raz, ale to był wyjątek i jego tylko zasługa, przyniósł — że to była Wielkanoc — prawie całe święcone, gdyż ja napisałem Maryni z pierwszego piętra bardzo, bardzo smutny list, a on namalował na nim krwawe, płaczące serce i na kopercie, tuszem, czarną, żałobną zrobił obwódkę. To nie był list, to było arcydzieło, które by rafinowanego zbrodniarza zwróciło na drogę cnoty.

Żyliśmy tak w miłości ludzkiej, ostrzegani natychmiast przez jedenaście kucharek, kiedy się tylko jaki podejrzany Żydowin pokazał w kamienicy, czujnym hasłem: „Panie malarz, pogan idzie!" — a sława nasza rozciągała się aż do trzeciej ulicy, gdzie nam jeden bałwan, dramaturg swoją drogą znakomity, konkurencję czynił nieznośną, bo umiał zmyślać w listach niestworzone historie i aranżował wybornie udane samobójstwa.

Ale się jakoś żyło. Ja pisałem wiersze, Chrząszcz malował wielki obraz, bardzo ładny i strasznie miły; siedzieliśmy przed nim nieraz godzinami, zaś po długim milczeniu mówiłem memu przyjacielowi:

— Ty, Chrząszcz, może z tego można zrobić siennik? Szkoda płótna...

Chrząszcz wtedy nie odpowiadał, tylko powoli, nie spiesząc się, wychodził z godnością.

— Ty dokąd?

— Idę się upić!

— To może razem?

— Z hołotą nie siadam do uczty.

Po godzinie wracał, gdyż kopiejki nie miał przy duszy, budzi mnie ze snu i powiada:

— Już jestem pijany i jeśli jeszcze jedno słowo powiesz, to cię uduszę.

— Dobrze, Szymonie. Życie mi już zbrzydło.

Zacne serca mają malarze, ale ten to miał z pewnością najzacniejsze; kochany to był malarz i drogi przyjaciel, chociaż dwóch rzeczy nie znosił: wody i wierszy. Wierszy nigdy nie czytał, wody zaś rzadko używał zewnętrznie, nigdy zaś wewnętrznie, co mu dawało pogodę ducha i napawało ochotą do życia, które miało dziwną słabość do Szymona Chrząszcza, mściło się bowiem na nim za całe mnogie pokolenie malarskie. Ten i ów sprzedał jakiś obraz wyświechtany, bezczelnie banalny i głupi, a Chrząszcz pazury sobie zdzierał, palił się, gorączkował, całą duszę swoją jasną, czystą i dobrą rozświetlał na płótnie po to tylko, aby przyszedł jakiś szympans, przez używanie chustki do nosa jedynie do ludzi podobny, i zagadał:

— To jest dzikie! tego się można w nocy nastraszyć!

Przeświadczenie i głęboka, serdeczna wiara, że takiego złodzieja gdzieś kiedyś paraliż tknie, było nam w dniach owych jedyną pociechą.

Tylko jeść nie było co...

Raz nas jednakże nędza przycisnęła tak mocno, że aż skwierczało; w pokoju było zimno, jakby nas dobry Pan Bóg chciał zakonserwować w mrozie, aby potomność mogła oglądać nasze inteligentne fizjognomie w całej ich świetności; rozpacz wyciągnęła się na żydowskiej kanapie, głód stał przy drzwiach sztywno jak lokaj. Był samowar i była woda, ale i król żydowski, Salomon, herbaty z tego jeszcze by nie zrobił.

— Chrząszcz — powiadam — namaluj bażanta, to jest bardzo smaczne bydlę!

Chrząszcz jednak nie odpowiadał, bowiem bardzo myślał; nie umiem powiedzieć, z pomocą jakiego czynił to organu, żyły jednak nigdy mu podczas myślenia nie nabrzmiewały na skroniach, czy też na czole, lecz zawsze na karku i na rękach, co świadczy, że taki malarz rozmyśla z wielkim trudem, ale mocno. Wreszcie powiedział jedno jedyne słowo:

— Ciotka!...

Ciotka, to jest bardzo wzniosłe słowo i może wiele znaczyć; wiedziałem o tym, że mój przyjaciel miał bardzo bogatego wuja, który wszystko zapisał na kościół, co mu jednak mało pomogło, bo to kanalia była pierwszej klasy, ale o ciotce nic dotąd nie słyszałem.

Pytam tedy z daleka:

— Pani Chrząszcz?

— Byle pudło nie nosi szlachetnego nazwiska. Zowie się Domicela Kopytko i mieszka za Wisłą.

— Hrabina?

— Nie, dość porządna kobieta, tylko szakal. Pieniądze dusi...

— A ma?

— Jakby nie miała, kiedy jest ciotka?

— Może i tak być. Co z nią zrobimy?

— Ja nic, ale ty...

— Ha! — ryknąłem uradowany — zadusić?

— Potem można, ale przedtem nich coś da. Ja do niej nie pójdę, ale tobie może się tam co uda. Powiedz, żem ręce i nogi połamał albo coś takiego — ona mnie tak bardzo kocha, że chętnie uwierzy.

— Jak się do niej gada?

— Gada się „panno Domicelo", bo chociaż miała trzech mężów, ale ceni panieństwo. Takiego liszaja nikt na swoje sumienie brać nie chciał i każdy umierał przed nią.

— Patrzcie, patrzcie! I ja mam tam iść! Dobrze! Pobłogosław mi, Chrząszczu!

Chrząszcz uczynił się poważny jak ksiądz przy obiedzie, wyciągnął ponade mną ręce i mruczał z namaszczeniem:

Na lwa srogiego bez obawy siędziesz
I na ogromnym smoku jeździć będziesz!

Bardzo słusznie. Wziąłem pelerynę, w której wyglądałem jak chudy hiszpański grand, trochę jak taki marszałek, co idzie koło karawanu, trochę zaś tak, jak tania kuchnia dla inteligencji; na ręce wdziałem jakieś białe rękawiczki, które Szymonowi pozostały jeszcze z wojska, bardzo ładne rękawiczki, ale je mogłem wygodnie włożyć także na nogi. Zdawało mi się, żem z katafalku uciekł. Niemniej jednak musiałem wyglądać bardzo przystojnie, szczególniej zaś te białe rękawiczki czyniły widok mej postaci w miarę szlachetnym, w miarę imponującym, wśród kucharek bowiem naszej kamienicy poszła wieść, że idę się żenić, bom się ubrał jak hrabia.

Serce we mnie się tłukło, alem szedł.

Przychodzę pod jakieś drzwi, żegnam się krzyżem świętym, potem pukam nieśmiało, jakbym chciał wejść do własnego grobu.

— Czy tu mieszka panna Domicela Kopytko?

— A jak tutaj, to co?

— Właściwie nic, ale bardzo ważna sprawa.

Panna Domicela wyglądała tak, jakby się jej w grobie nudziło, więc wstała na parę godzin, aby pocerować pończochy. Zęby to miała aż dwa, ale za to bardzo ładne, z miłym, zielonym, szmaragdowym połyskiem, i oczki bardzo śmieszne, szybko na wsze strony latające, wcale mądre i złodziejskie. Przybrana w barchany siedziała rozparta na jakimś straszliwym fotelu, który z tego powodu wszystkie pakuły wyrywał z rozpaczy ze swego własnego wnętrza. Miało się jednak wrażenie, że panna Domicela każdej się chwili porwie i wyleci na koźli sabat; ręce miała panienka łapczywe, ciągle w ruchu, nogi zasię stateczne, na szerokiej podstawie.

— Moje uszanowanie pani...

Kłaniam się jej bardzo uprzejmie, szurając nogami trochę dla większego efektu, troche dla dodania sobie odwagi.

— Pan czego?

— Ja do pani dobrodziejki...

— Głośniej pan gadaj, uszów na loterii nie wygrałam. Nie ze starości ogłuchłam, tylko z wilgoci.

— O, to się zdarza, proszę pani!

— A pan wyłysiał także nie ze starości, tylko się pan ładnie musiał balować...

— To rodzinne, proszę pani.

— Ładna musi być familia! — powiada na to ciocia, ale bez widocznej intencji obrażenia mnie — a z kim mam przyjemność?

Powiadam jej nazwisko, a baba posiniała.

— Jak, jak?

Powiadam jej jeszcze raz; trochę znów zżółkła, ale nie bardzo. Patrzy na mnie, patrzy, dziwi się i bardzo jest niespokojna. Aż jej wreszcie ulżyło:

— To pan ładne książki pisze, niech pana krew zaleje za takie książki!

Co takiego? Zdawało mi się, żem źle słyszał, alem zrobił „skromną twarz" i powiadam:

— Za wiele uznania, panno Domicelo...

— Pan do mnie nie mów „panno Domicelo", bom w jednym łóżku z panem nie leżała. Własną piersią mogłam pana była wykarmić, tylko że wtedy byłoby z pana coś lepszego wyrosło...

W oczach mi się zaćmiło, kiedym się wyobraził w tej sytuacji i kiedym, idąc za słowami panny Domiceli, spojrzał na jej piersi. Alem wreszcie otrzeźwiał i choć nagle poczułem straszliwą suchość w gardle, jednakże duch we mnie wstąpił, kiedym pomyślał, że im kto ma lepsze serce, tym jest bardziej ordynarny. Staram się tedy być niesłychanie uprzejmym:

— Czy pani pozwoli mi usiąść?

— Tu nie kryminał, ale jak pan tu już wlazł, to pan siadaj!

— Dziękuję najuprzejmiej.

Siadam, a ciocia zaczyna mi się znowu przygladać bardzo długo i nie może wyjść ze zdumienia; czasem pokręci dziwnie głową, wreszcie gada już sama ze sobą:

— ...Zdawałoby się, że trzech nie umie zliczyć i oczy poczciwe ma... A jak książkę napisze, to jak świnia...

— Och, pani dobrodziejko!

— Po co pan takie kawałki pisze, że się z tego spowiadać trzeba?

— Bo opieki nie mam, proszę pani. Gdyby osoba tak czcigodna, jak pani, raczyła czuwać nade mną...

— Na głowę jeszcze nie upadłam. Trzech mężów miałam, a żadnego ani utrzymać, ani na dobre drogi sprowadzić! Jak się łajdak urodzi, to go już nie przerobisz... Modli się pan kiedy?

— Naturalnie, że się modlę. Przed jedzeniem zawsze, po jedzeniu zawsze...

— Gadaj to pan komu innemu, a nie mnie. A co pan mi właściwie ma do gadania?

— Bardzo ważne sprawy, szanowna pani. Otóż, jak pani zapewne wiadomo, pani ma krewnego...

— Co za krewnego?

— Sławnego malarza, Szymona Chrząszcza...

Jezus Maria! Górny ząb cioci szczęknął o dolny z taką siłą, że jej coś w czaszce musiało się nadwerężyć.

— On jest diabła krewny, a nie mój!

— Ma pani rację, pani dobrodziejko. Między sobą my to nazywamy: niedokrewny krewny. I wcale się nie dziwię, że się pani nie chce przyznać do tego pokrewieństwa, gdyż to jest człowiek zgubiony.

— Panu także nic nie brakuje...

— Tak, proszę pani, ale on jest ciężko chory i ciągle majaczy.

— Jak się upił, to niech ma za swoje.

— Wszystko o nim można powiedzieć, ale to jedno, to nieprawda. On się wcale nie upił; ten człowiek od sześciu dni leży w gorączce i ciągle mówi tylko to jedno słowo: Domicela... Domicela... i tak przez całą noc. Serce się kraje.

— To mu pan powiedz, niech sobie mną gęby nie wyciera.

— Jak mu to powiem, kiedy nieprzytomny?

— Już wy się porozumiecie, przyjacioły od siedmiu złodziei. A zresztą ja panu coś powiem: gdyby on nawet na katafalku leżał, to ja jeszcze nie uwierzę, żeby umarł. To jest byk, a nie ludzka osoba... A pan to nie wie, jak on opowiadał, żem dziecko miała z listonoszem?

— Może się zdarzyć, szanowna pani... listonosz wszędzie chodzi.

— Zwariował pan czy co?! A jak mnie na goło malował, to także nic?

— Może malował anioła, a modela nie miał...

Ciocia była sina.

— Własny mąż mnie tak nigdy nie widział, jak on mnie namalował!

— Krzywdziła pani męża...

Ciocia nie słyszała już nawet, co ja mówię, słuchała tylko własnej furii.

— A jak opowiadał, że sobie koszulę perfumuję, to może także nic?! Chrząszcz się nazywa, a jest świnia...

— Ale zawsze krewny, proszę pani.

— Ale, ale! Pan jeszcze wszystkiego nie wie. Przecież on gadał, że pod spódnicą nic nie noszę i po ulicach chodzę, jak jest wiatr, aby ludzie mieli przyjemność, kiedy co zobaczą.

— Ależ panno Domicelo, to już chyba dla pani dobra...

— I ja go mam ratować? Powiedz mu pan, niech ścianę gryzie... Gdzież on jest? Przecież niedawno był w Rzymie?

— Jest teraz na łożu boleści...

— I pana tutaj przysłał?

— Tak, szanowna pani. Powiedział do mnie: „Idź do siostry mojej matki, która ma złote serce. Idź i powiedz, że cierpię!"

Ciocię w tej chwili jakby kto na sto koni wsadził; uśmiechnęła się chytrze i złośliwie.

— Tak panu powiedział?

— Mam jeszcze w uszach te słowa...

— Ja się teraz nie dziwię, że pan takie złodziejskie książki pisze; tożeś pan mówił przed chwilą, że jest nieprzytomny i nic nie gada!

— Ja tak powiedziałem?

— A kto, ja?

— Może się tylko tak wyraziłem. Ach, w istocie, on mi to powiedział oczyma.

— Patrzcie, patrzcie! I pan to tak zaraz zrozumiał?

— Dusza zrozumie zawsze drugą duszę.

— Toteż i ja pana także zaraz zrozumiałam.

— Wrodzony spryt, szanowna pani...

— Nie zawracaj pan głowy! Do pyska nie macie co włożyć, więc jazda do cioci... A ciocia nie studnia i na rosolisy nie da.

— Na rosolisy? Co to jest?

— Biedactwo kochane! Pan nie wie, co rosolis? Literata, a nie wie, co to rosolis! Pan, zdaje się, już z flaszeczki zamiast mleka ssał rosolisy, bo to wódka.

— Och, jak pani może krzywdzić człowieka?

Ciocia się jednak powoli z jędzy uczyniła niewiastą. Nie można powiedzieć, żeby na mnie patrzyła z miłością, ale nie patrzyła już na mnie jak na zdechłego konia.

Gdzieś tam w niej może jakieś serce się tłucze, tylko te dwa strażnicze malachitowe zęby nie dopuszczą do niego litości. Zaczęła wreszcie, kiedy się burza przewaliła przez jej pierś szlachetną jak przez rumowisko, mówić o oktawę niżej i nie tak zgryźliwie, ja się zaś także nieco ośmieliłem i zdjąłem Szymonowe rękawiczki, bo mi mocno przeszkadzały w gestykulacji. Po chwili nawet, kiedy mi się jakiś parszywy kundel nawinął pod krzesłem, zdaje się, że cioci wielki ulubieniec, pogłaskałem go, uśmiechając się ujrzejmie, choć byłbym go kopnął z nieludzką radością, taki bestia miał dziwnie niesympatyczny pysk.

Ale warknęło na mnie tylko to bezecne bydlę, co cioci dało sposobność do niezupełnie cichej uwagi:

— I pies się zaraz pozna na człowieku...

Ja bardzo lubię takie aforyzmy, o ile takiego, co je robi, można potem długo męczyć, przypiekając mu podeszwy rozpalonym żelazem, ale od cioci musiałem to znieść, bo co przyjaciel, to przyjaciel. Nie słysząc więc jej uwagi, powiadam w zręcznej formie serdecznego uznania:

— Przemiła psina, musi być bardzo wierną...

A ciocia na to:

— Przez dziecko do mamy, a przez psa do cioci. Pan jest bardzo mądry, ale mnie to pan nie kupi.

Pan Bóg z tobą, kobieto! — pomyślałem sobie. — Wolałbym kupić tyfus albo cholerę. Nie mogłem jednakże nie przyznać jej przenikliwości rozsądku w zawiłych sprawach psychologicznych.

Zauważyłem w rezultacie, żeśmy się z ciocią porozumieli w odpowiednich granicach, należało więc dążyć do jakiegoś praktycznego zrealizowania poselstwa. Ale co ciężko, to ciężko. Uprzejmość na nic, patos psu na buty, czułość do stu diabłów, kłamstwo każde dostaje od cioci w pysk. Ciocia jednakże uporczywie nad czymś rozmyśla, ja zaś oczy w nią trzymałem utkwione i dzierżę na smyczy całą uwagę, zupełnie jak strzelec, który wzrok nieruchomy utkwił w jedno miejsce, skąd się za chwilę zerwie kuropatwa. Wprawdzie panna Domicela wcale nie kuropatwa, tylko puchacz, ale sytuacja jest podobna; pies przed ciocią jeszcze bardziej przypomina mi polowanie.

Ciocia zaczyna wreszcie „farbować".

— To on nie jest wcale chory?

Widzę, że przez chorobę się nie dojedzie, a skrucha więcej znaczy u tej Putyfary niż grzech.

Powiadam tedy:

— Przed panią nic się nie ukryje... To samo i Chrząszcz mi powiedział, który niezmiernie przenikliwość pani ceni. On mi nawet więcej powiedział: „Idź — powiada — ucałuj jej ręce i nie łżyj. Powiedz, że nie mam co jeść, a powiedz to po prostu i szczerze!" Tak mi to rzekł, jak Boga kocham, tylko widzi pani, panno Domicelo, ja już tak z przyzwyczajenia nałgałem. Strasznie bym się chciał od tego odzwyczaić, bo to i niemoralne, i ciężko z tym żyć. I jeśli mi tylko Pan Bóg pozwoli doczekać Wielkiej Nocy, to do spowiedzi pójdę i księdza się zapytam, co na to zrobić? Otóż to!... Ale ja już tak z rozpaczy mówiłem, bo choć on teraz nie chory, ale może rozchorować się z głodu. Pani pojęcia nie ma, jak on teraz wygląda: wynędzniały, blady, żółty prawie. Mój Boże, żeby to on tak wyglądał jak pani, panno Domicelo!...

Spojrzałem spod oka i widzę, że baba nie od tego, aby słuchać komplimentów, choć do twarzy byłoby jej tylko w trumnie.

— Bo się nie zapijam i z Bogiem żyję — powiada ciocia.

Powiedziała to zaś tak łagodnie, że dusza we mnie zadrżała z radości; zaczynam więc na jej nutę:

— Tak, to prawda. On trochę za wiele pił,

ale teraz ani kropli. — Niech Bóg broni! Godzi go się poratować, choć pani dobrodziejka sama zapewne nie ma bardzo wiele...

— Nic nie mam! Trzy pogrzeby mężom sprawiłam...

— Daj Boże jeszcze trzy!

Aż mnie na chwilę zatchnęło, kiedy mi te słowa uciekły z ust. Zastanawiam się, czym nie strzelił głupstwa. Ale nie! Słowo daję, że się to babie podobało! Jak tak, to i dobrze, gadam tedy jak najęty:

— Coś tam jeszcze musiało pozostać, panno Domicelo, bo inaczej ludzie by tak nie zazdrościli, jak zazdroszczą. On wiele nie potrzebuje, ot, na kawałek suchego chleba...

Ciocia się poruszyła.

— Ja coś panu powiem, bo się pan tak zmęczy gadaniem; jest pan jego przyjaciel, to mu pan to powtórz. Dam mu teraz przez pana dwa ruble, bo jak więcej, to przepije, a pan mi podpisze, że pan wziął, i on niech podpisze, że dostał. Kto was wie? Literata i malarz dwa bratanki, a pieniądze gdzieś się zapodzieją.

— Ależ panno Domicelo!...

— Obrażać się pan nie potrzebuje, a starej kobiecie wolno prawdę powiedzieć.

— Dwa ruble?!?

— A pan zaraz myślał, że co? Że mu kamienicę dam, aby mi mury popaskudził? Idź pan na rynek, to może pan znajdzie więcej. Dwa ruble piechotą nie chodzą, a ja cały dzień żyję za takie pieniądze. Patrzcie ich, dwa hrabie!

Siedziałem przybity i opuściłem głowę na piersi, słuchając jednakże dalej terkotania, które się, homerowym mówiąc stylem, dobywało zza płotu zębów. Tylko że to nie był płot, ale dwa kołki w płocie. Ciocia miała mi jeszcze do powiedzenia wiele, i to rzeczy, których się najmniej spodziewałem.

— Nie potrzebuje pan zaraz krzyczeć, żem skąpa... Komu zostawię? Obcym ludziom? Zawsze to on jest syn mojej siostry...

— Święta prawda, szanowna pani.

— Toteż jemu zostawię, ale za życia ani grosza... Ani grosza, żeby na ulicy kamienie tłukł, żeby wodę nosił!

— O, tego on nie zrobi! Kamienie tłuc, to nie zbrodnia, ale wodę nosić! Ha!

— Nie bądź pan taki wesoły, bo ja mówię ważne rzeczy. On jest, widzi pan, ostatni z familii, a ja familijny honor znam. I dam tylko wtedy, dam nawet za życia, jeśli się ożeni i syna będzie miał. Tylko wtedy!...

O dobry Boże! Kiedy w noc ciemną grom nagle drogę rozwidni, zajdzie wtedy pod strzechę biedny wędrowiec. Tysiąc świeczek mignęło mi w oczach i cała radość życia. Taki śmieszny warunek, jak żona i syn! O panno Domicelo!

Przytomność umysłu wyratowała już wielu ludzi z biedy, tedy nagle, bez przygotowań, jak znakomity aktor, co bez czytania roli wychodzi na scenę, zerwałem się z krzesła i taką miałem radość w oczach, że ciocia zaniemówiła. Zdobyła się tylko na pytanie zasadnicze:

— Czy pan kołowacizny dostał?

— Panno Domicelo — krzyknąłem — jak to? To pani o niczym nie wie?

— Czego pan tak krzyczy? O czym mam wiedzieć?

— Że Chrząszcz już jest dawno żonaty?

Ciocia wydęła ze zdumienia coś takiego, co kiedyś, w epoce kamiennej, mogło być piersią, i otworzyła usta.

— Chrząszcz??

— I że ma syna??

— Syna?!

— To ten złodziej nawet o błogosławieństwo pani nie prosił? Przecież on kilka lat temu się ożenił, syna ma jak aniołek i żonę taką, jakiej niewart. Czy pani żartuje, czy pani naprawdę nie wiedziała?

— Żebym tak skonała na miejscu!

— Ależ niech Bóg broni! I córkę miał, ale umarła; płakał wtedy, droga pani, jak bóbr i głową tak tłukł o ścianę, że się sąsiedzi zlatywali pytać, co się stało. Potem mu się syn urodził, śliczny, mały syn, podobny do niego. Strasznie mądre dziecko, teraz się już czytać uczy.

Ciocia osłabła; patrzyła na mnie jak na wariata; z oczu spływała jej radość pomieszana z niedowierzeniem; zaczęła mówić urywanym głosem:

— Jak pan znowu łże, to pana kara boska spotka...

Na to ja:

— Panno Domicelo! Czy można wymyślić żonę i dziecko?

Ta pytająca odpowiedź była tak głęboka, że nic na to odpowiedzieć nie było można, toteż panna Domicela dostała gwałtownych wypieków i wyglądała z tym jak wymalowana na gębie mumia jakiejś wiedźmy z czasów dwudziestej trzeciej dynastii. Zaczyna mówić delirycznie, łapiąc oddech:

— I syna ma, powiada pan? A czy chrzczony?

— Doskonale... pani ciociu!

To „pani ciociu" zadławiło mnie na chwilę jak rybia ość.

— Jakże się nazywa ten maleńki?

— Jak się nazywa? O, bardzo ładnie, naturalnie, że bardzo ładnie!... Zaraz... bo to widzi pani, raz go wołają tak, a raz znowu inaczej...

— Dwojga imion?

— Dwojga? On jest trojga imion, proszę pani! Obmyślaliśmy cały tydzień, aż nam jeden biskup poradził. Aha! Niech pani uważa: nazywa się Józef — Marek — Aureliusz... Jak rzymski cesarz. Uważa pani, to nie byle jak, ale: Marek — Aureliusz... jak rzymski cesarz. Ale na co dzień wołają go: Józiu! — i on zaraz na to odpowiada.

— Patrzcie, patrzcie!

— A widzi pani, że Szymon miał do pani żal... Nie dał nawet znać, że się żeni... No, ale niech mu to pani przebaczy. Co miał biedaczysko robić? Zakochał się na śmierć, bo to anioł był, nie kobieta, a ślub to brał potajemnie, bo się jej ojciec nie chciał zgodzić w żaden sposób.

— Co pan mówi? A któż on taki?

— Dobrze to ja tego nie wiem, jak tam naprawdę było, wiem to tylko, że jej napisał tak: „Wybieraj, albo malarza, albo mnie!" A ona wybrała malarza! Ten jej ojciec to jakiś zbankrutowany baron i za nic w świecie nie chciał, aby się jego córka nazywała pani Chrząszczowa.

— A cóż to, Chrząszcz wypadł sroce spod ogona?

— Czasem i to się zdarza, panno Domicelo, jeśli sroka jest żarłoczna, ale rodzina Chrząszczów to nie jest byle kto. Podobno dziadek Szymcia, rzeźnik, to na starość aż radcą miejskim został. Zresztą Szymek jest sławny malarz i wolno mu się nazywać, jak mu się podoba.

Ciocia słuchała słów moich z ogniami w oczach, pojąłem tedy, że jest bardzo czuła na familijny honor, małżeństwo zaś Chrząszczowe przyprawiło ją niemal o delirium, bo od czasu do czasu patrzyła na mnie z rozrzewnieniem godnym lepszego niźli ja obiektu. Radość swoją z małżeństwa siostrzeńca okazywała, jak umiała najżywiej, zdawało mi się nawet przez chwilę, że jej dwa szmaragdy zębów jaśniej zabłysły i wcale pogodnie. Długośmy jeszcze mówili na ten temat, ja zaś przez ten czas zdobyć zdołałem wstęp wolny do serca cioci, do którego wszedłem bardzo uroczyście, czasem bowiem jest człowiekowi wszystko jedno.

Pies panny Domiceli przestał również patrzeć na mnie z pogardą i obwąchiwał mnie dosyć życzliwie.

Aż wreszcie ciocia westchnęła głęboko i przejmująco, jak zraniona łania czy coś takiego; słaniając się jak ranny gladiator idzie do komody, manipuluje długo około zardzewiałego zęba zamku, który znając cioci charakter, zaciął się i ani rusz puścić nie chce; szuka potem ciocia długo pod stosami bielizny bardzo czerwono znaczonej i dobywa spod niej jakiś worek skórzany, związany sznurkiem, odęty jak bukłak z koźlej skóry i brudny jak dusza skąpca. Mimo wielkiej ze mną zgody widzę jednakże, że ciocia ukrywa, jak może, niechlujne, a bogate jego wnętrze. Zdaje się, że tak tylko — na wszelki wypadek.

— Teraz ze sobą walczy!... — myślę ja.

Panna Domicela idzie jednakże do drugiego pokoju, przynosi jakąś wielką, szczerbatą flaszkę z atramentem, którym można smarować osie u wozów, pióro takie, że nim tylko rozpacz może pisać list do nędzy, papier taki, którego by uczciwy pies za żadną nie zjadł cenę, i stanąwszy nade mną, każe mi głosem nabrzmiałym od wzruszenia, niemal tragicznie uroczystym, choć z lekka skrzypiącym, pisać za dyktandem, co następuje:

Poświadczam, że z rąk Domiceli Kopytko, prywatnej, otrzymałem rubli sto do wręczenia artyście malarzowi, Szymonowi Chrząszczowi, i daję najświętsze słowo honoru, i przed obliczem boskim przysięgam, które widzi, bo bez świadków daję, że mu je oddam w całości tego samego dnia, aby tymi pieniędzmi polepszył los ukochanej żony swojej i jedynaka, syna, Józefa Marka Aureliusza. Jeszcze raz przysięgam pod karą boską, że mu to oddam bez żadnego szachrajstwa i kręcenia, bośmy już takich widzieli, co tylko pieniądz do ręki, a już go nie ma, bo z lafiryndą uciekł, i na dobre mu powiem, aby użył, nie z koleżkami, bo pieniądze nie kradzione, tylko krwawica to jest i siódmy pot, i nigdy byłby tego nie dostał, gdyby się był nie ożenił. Przebaczam ci, Szymciu, co twój przyjaciel słyszy, i podpisuje imieniem i nazwiskiem...

Sonetu najpiękniejszego nie pisałem z taką radością, jak ten cyrograf, pod którym podpisałem się zamaszyście i z niesłychaną kawalerską fantazją. Ciocia zdarła pazurem nieco tynku ze ściany, przysypała to, dmuchnęła i przeczytała raz jeszcze, i bardzo jej się styl własny musiał podobać, bo niebo jej się otworzyło w oczach. Trochę kaprawe niebo, ale zawsze niebo; potem daje mi banknot, na którym była nie tylko „krwawica i siódmy pot", ale i masło, i łzy, i inne takie paskudztwa; wreszcie mówi:

— Pan nie jest taki zły, jak pan wygląda, toteż mi pan jeszcze jedno musi przyobiecać.

Myślę sobie w tej chwili, że jak mi baba zaproponuje małżeństwo, to ją uduszę, wdziawszy przedtem Szymonowe rękawiczki, a nie ma na świecie takiego sądu, który by mnie nie uwolnił.

— Pan mi musi przysiąc — mówi ona dalej — że mi pan Szymona przyprowadzi i jego żonę, i Józia.

Zimny pot oblał mi czoło.

— I Józia? — powtarzam, siląc się na cudowny uśmiech, taki spod szubienicy.

— I to jutro, zaraz jutro... Właściwie to ja mam ochotę zaraz tam do nich z panem pójść, ale nie zrobię tego. Niech oni pierwsi przyjdą...

— Jutro?

— Koniecznie jutro!

— A może by tak za dwa dni, panno Domicelo, bo to widzi pani, ona trochę chora, a mały się musi ogarnąć; może by tak przecież za dwa dni.

— To niech już będzie. Na obiad przyjdziecie, bo i pan także. Co panu szkodzi, za darmo pan obiad zje? I chcę, aby pan był świadkiem, bo od tego czasu Szymcio będzie mógł spokojnie żyć — co dam, to dam — niedużo, ale zawsze tyle, aby to biedy nie cierpiało... Zawsze sławny człowiek w familii, to coś znaczy.

— Bez wątpienia, szanowna pani!

— A pan niech tu kiedy do mnie po cichu zajdzie, to się znajdzie coś i dla pana. Portki to pan ma, z przeproszeniem, jak rzeszoto, a mnie po trzecim mężu coś niecoś z garderoby zostało...

Ho! ho! — myślę sobie. — Putyfara chce, abym się przy niej ze stroju ogołocił. Najuprzejmiej jej tedy dziękuję, tłumacząc serdecznie, że za nic na świecie nie zmieniłbym swojej garderoby, bo i nowych rzeczy nie lubię, i do tej, którą na sobie mam, przedziwny czuję sentyment, bo to taka „familijna" — „na wyrost" — z ojca na syna.

Pocałowałem ją dwa razy w rękę, psa pogłaskałem zamknąwszy oczy, i wyszedłem na ulicę.

Ażem się zatoczył. Chryste Panie, com ja właściwie narobił?! Kawał jest kawał, ale w miarę, to zaś źle się może skończyć, bo i Chrząszcz może mi żebra połamać, żem go ożenił i żem mu syna spłodził na poczekaniu, i ciocia może mnie witriolejem oblać, kiedy się prawda wyświetli. Że się też uczciwego człowieka trzymają takie psie figle! Ciocia nie jest najgorsza kobieta, tylko na pieniądze jest szakal...

Przychodzę tedy do domu ze strachem. Patrzę, a Chrząszcz leży na żydowskiej kanapie i obserwuje życie naszego żywego inwentarza, kilku much, które się przykleiły do świeżej farby na jego obrazie. Bardzo był łagodnie usposobiony, choć patrzył nieco błędnie; bardzo się jednak ucieszył, kiedy mnie ujrzał.

— Byłeś?

— Byłem...

— Nie zrobiła ci jakiej krzywdy?

— Chciała ode mnie pożyczyć pieniędzy, alem nie dał.

— Nie rób głupich dowcipów, bom bardzo ciekaw. Bardzo mnie kocha? Co gadała?

— Żeś świnia...

— Patrzcie, patrzcie!... A jej psa widziałeś? To bardzo przystojny kundel. Co?

Ja się uczyniłem śmiertelnie poważny.

— Słuchaj, Chrząszcz — powiadam — przede wszystkim wstań, kiedy rozmawiasz z takim, co ma przy sobie sto rubli.

Z nim się coś stało, bo ja równocześnie wydobyłem banknot i ukazałem całą jego świetność. Malarz trochę zbladł, trochę mu oddech zaparło, chciał się podnieść z legowiska, ale nie mógł.

— Ona ci to dała?!

— Ona...

— Moja ciotka?!

— A cóżeś ty myślał — powiadam — że mi się oprze? Ja ci, Chrząszcz, coś więcej jeszcze powiem: dostaniesz, ile zechcesz.

Ale on jeszcze nie mógł przyjść do siebie.

— Moja ciotka Domicela??

— Tak jest, twoja ciotka Domicela, kobieta szlachetna i godna największego szacunku; bardzo mi też przykro, że ma w rodzinie takiego, jak ty, złodzieja. To zresztą jest jeszcze bardzo przystojna kobieta...

Chrząszcz wziął w rękę banknot bardzo ostrożnie, jakby po nim łaziły tyfoidalne bakcyle, przypatrywał mu się ze wszystkich stron bardzo długo, wreszcie powiada z cichym lękiem:

— Słuchaj no ty, czy to aby tylko prawdziwy?

— Zdaje się, że tak; nigdym takiego pieniądza nie widział, więc ci nie zaręczę, ale zdaje mi się, że jest zbyt brudny, aby nie był prawdziwy. Ale widzisz, Szymciu, jest jedna ważniejsza sprawa. Ja ci się do wszystkiego przyznam, bom łgał dla twojego dobra.

— Cóżeś nałgał?

— Nic nadzwyczajnego. Powiedziała ciotka, że ci majątek da, kiedy będziesz miał żonę.

Chrząszcz się obruszył.

— Zwariowała baba czy co? Krowa by za mnie nie wyszła, a cóż dopiero jaka taka panna!

— Kiedy widzisz, Szymciu, ja jej powiedziałem, żeś ty się już ożenił z córką barona.

Chrząszcz spojrzał na mnie jakoś dziwnie, patrzył bardzo długo i mrugał oczyma.

— Ja?

— Ty, Szymciu!

— Z córką barona?

— Nie inaczej; to tak dla efektu. Ale ona ma jeszcze inne warunki; powiedziała, że da, ile zechcesz, jeśli będziesz miał syna...

— I tyś pewnie nałgał, że mam syna?

— Jak Boga kocham, tak powiedziałem: sześcioletniego syna... Nie gniewaj się, Szymonie, ale ja naprawdę dla twojego dobra. Powiadam ci, tak się cieszyła, jak dziecko...

Chrząszcz nie wiedział, co ze mną zrobić. Trochę mu w głowie zawróciło tych sto rubli, więc mnie od razu nie zabił, ale naprawdę wpadł w szał, kiedym mu powiedział, że pojutrze mamy tam być na obiedzie... z całą familią. Rzucał, czym mógł, pluł, gdzie mógł, ryczał jak tur, czasem znów jęknął, ale tak, że szyby drżały. Trzeba było niesłychanej wymowy, żeby go uspokoić, ale się potem, bałwan jeden, położył na cały dzień i nic nie gadał.

Wieczorem podchodzę do niego ostrożnie i powiadam cichutko:

— Szymciu!

On nic.

— Szymonie złoty! już najwyższy czas, naprawdę już najwyższy czas, musimy znaleźć jaką żonę.

Chciał mnie kopnąć, tylkom stał za daleko. Widocznie jednak, leżąc przez cały dzień w niechlujnym swym barłogu jak dzik w leśnym bagnie, rozmawiał w braku przyzwoitszej osoby z duszą własną i doszedł do jakiejś wesołej konkluzji, bo mi go się wreszcie udało przekonać, że może sobie bez narażenia na szwank utraty zbawienia (o co mu zapewne najwięcej szło) wypożyczyć na parę godzin jakieś niewieście ciało. Ciało to potem zachoruje na jakąś małą chorobę, na kamienie żółciowe, na zapalenie nerek albo coś w tym rodzaju i wyjedzie na dwa lata na kurację, a potem szczęśliwie umrze dla cioci Domiceli.

— No, a ten łajdak syn? — pyta Chrząszcz — skąd ja wezmę syna?

— Możesz mieć sześciu. Wstawaj, malarzu, zabierz łoże swoje i pójdź się ożenić!

Chrząszcz się wcale nie martwił tym, że trzeba urządzić komediową awanturę, bo za tym przepadał, to go tylko bolało, że choć dla kawału, będzie się musiał „ożenić". Bardzo mu się zresztą wszystko inne podobało.

Poszliśmy tedy wprost do prawie panny Zosi Karmelek (na afiszu Zofia Ostoja), która w teatrze grała same wielkie role i nie było wypadku, aby kiedykolwiek przyszła na scenę z próżnymi rękoma, bo zawsze coś przyniosła: krzesło, tacę albo list. Roli się też nigdy nie potrzebowała uczyć, gdyż każda nowa jej rola zaczynała się od słów w szlachetnym zapytaniu: „Pani dzwoniła?" — kończyła się zaś w tej samej scenie patetycznym oznajmieniem w równie szlachetnym stylu: „Powóz zajechał".

Nos miała nieco zadarty, co jej przeszkadzało w teatralnej karierze, poza tym oryginalność wyjątkowego jej talentu polegała na tym, że zawsze z pasją, a szczególnie w sztukach wierszowanych mówiła: „kużdy" i „inszy", przy czym dla wyrazów obcych miała w ich wymawianiu pomysłowość wprost niedocieczoną. Kiedy w jakiejś stolicy, liczącej trzystu mieszkańców i prawie tyleż nierogacizny, grała raz naprawdę wielką rolę, okazała prawie panna Zosia Karmelek pewną oryginalną samodzielność myślenia, kiedy uparła się i za nic w świecie nie chciała powiedzieć: Jan bez Ziemi — tylko: Jan bez Miejsca — czemu logicznej racji odmówić niepodobna. Osoba ta wyróżniała się poza tym jako ciekawy fenomen natury, gdyż regularnie co tydzień miała inną matkę, do której przy ludziach mówiła: mateczko! — na osobności zaś czułości jej dziecięce wyrażały się w takich mniej więcej apostrofach do matki: „Jak pani Józefowa będzie przy gościu nos wycierać w spódnicę, to połam pani nogi, jutro sobie znajdę matkę jak hrabinę i wody kolońskiej pić nie będzie!"

Kiedy nas ujrzała panna Zosieńka (niech jej będzie panna!), zrobiło się jej ciepło koło serca i przywitała nas okrzykiem, który nas znowu chwycił za serce:

— Prędzej bym się spodziewała, że mnie dziś szlag trafi, niż panów artystów.

Dodać należy w tym miejscu, że dla panny Zosi jeden poeta, ładnie gadający, a bez kopiejki, i jeden malarz, choć bez kołnierzyka, znaczył zawsze więcej niż stu hrabiów i kilku dyrektorów banku. Taka to już była artystyczna dusza w tym rzadko się kąpiącym ciele. Kiedy się zaś dowiedziała, że będzie „heca", i to wedle jej rozczulająco milutkiego wyrażenia: „heca na grande" — rozpłakało się biedactwo z rozrzewnienia. Zdołała tylko wyjąkać przez łzy:

— Jak mi potem, małpy jedne, kolacji nie kupicie, to niech was pokręci.

A Chrząszcz, czuły na łzy dziewicze, powiada:

— Ja potem mogę być mężem panny Zosi jeszcze przez jakie dwa dni!

Żona już była, więc poszliśmy z kolei szukać dziecka na rynek, na rynku bowiem człowiek praktyczny wszystko dostanie.

— Jak się mój syn nazywa? — pyta Chrząszcz.

— Józef Marek Aureliusz!

— Bogdajeś skonał! — rzecze Chrząszcz.

Po rozpatrzeniu się wśród młodej Polski, która łaziła po rynku, wybraliśmy sobie andrusa, takiego pierwszej klasy, mądrą szelmę, który sprzedawał listowy papier; znaliśmy łotra, bo się po teatrze kręcił, potem sprowadzał dorożki. Był bardzo wykształcony „kinematograficznie".

— Ty, andrus! jak się nazywasz?

— Najpierw się pan przedstaw.

— Słuchaj, smarkaczu, zarobisz dwa ruble!

— Akuratnie pan tak wygląda, jakbyś pan miał dwa ruble!... Te, te... hrabia!

— Ojca masz?

— Zapytaj się pan mojej mamy.

— A gdzie ojciec?

— W kreminale; Jednoroczniak na rządowy koszt.

Wzięliśmy rzezimieszka do domu, gdzie ze złodziejską powagą wysłuchał, o co rzecz idzie.

— To nie jest żadna sztuka — powiada — w teatrze tom nawet anioła robił — (dobry Boże! ładny anioł!). — Tylko daj pan zaliczkę, bo gdzie ja pana potem znajdę?

Uczyliśmy indywiduum cały dzień, co ma robić i co tam ma gadać; ubraliśmy go, jak tylko można najlepiej, wyszorowawszy ryżową szczotką. Potem z lękiem w sercu idziemy do cioci. Chrząszcz pod rękę z panną Zosią, ja na przodzie z Wickiem, bo się tak szelma nazywał, a trzymałem go mocno, żeby nie uciekł. Właściwie to ja chciałem uciec, ale mnie znowu Wicek trzymał, abym nie uciekł z dwoma rublami.

Mój Boże! co to było!

Chrząszcz ukląkł przed panną Domicelą, ja stałem blady jak trup, który nie wiadomo po jakiego diabła wstał z katafalku, panna Zosia zaczęła płakać, Chrząszcz coś tam rzęził pod nosem na familijny temat, Wicek szurał nogami, a pies panny Domiceli dostał ataku szału. Cała jednak uwaga skupiona była na Wicku. Ciocia obcałowywała mu fizjognomię, a ten złodziej nic — ani drgnie, tylko robi oko do Chrząszcza.

Jakaś jednak śmiertelna cisza zaległa, kiedyśmy przed obiadem zasiedli w „salonie", który równie dobrze mógłby być domem przedpogrzebowym.

Ciocia trzymała Wicka na kolanach i rozmawiała z nim jak pasterka z ptaszkiem:

— Jak się nazywasz, maleńki?

Serce we mnie zadygotało, a Wicek jak mur. Patrzy bezczelnie na ciocię i powiada:

— Kiedy to cholera trudna do gadania... Chrząszcz się nazywam..

— A na imię?

— Nie ma pani innego zmartwienia?

Panna Zosia poczerwieniała:

— Ależ Józiu!

— Aha! Józio się nazywam. A na drugie to tak, jak „poszedł Marek na jarmarek!"

— Ależ on dowcipny — powiada ciocia rozanielona.

— To się wi! — odpowiada Wicek poważnie.

Chrząszcz uważając, że przecież trzeba coś powiedzieć, wydobywać zaczyna słowa gdzieś z brzucha i rzecze:

— Niech ciocia przebaczy, ale on jest trochę dziki, w Rzymie się wychowywał, a tutaj jest niedawno.

Wicek w tym miejscu robi do mnie oko i pokazuje mi niedwuznacznie, że jego przybrany ojciec najwidoczniej zwariował.

— Nie szkodzi — mówi ciocia — chłopaczek

jest śliczny i zupełnie, Szymciu, do ciebie podobny.

— Perskie oko! — wtrąca Wicek.

— Co mówisz, Józieńku?

— On powiada, że w oczach jest bardzo podobny.

— Drogi dzieciak! Czemuż ja takiego nie miałam.

— To se pani mnie weź! — Wicek na to.

— Mów do mnie: babciu!

Wicek ma ochotę parsknąć śmiechem, ale go panna Zosia, która gra jak anioł, w sam czas uszczypnęła w udo.

— Ta co jest? — szepce Wicek — za te parszywe dwa ruble!

Co za bezczelny łajdak!

Ale mu się widocznie bardzo podobało na wizycie, szczególnie przy stole. Panna Zosia tak zagadała ciocię, że nie było słychać Wicka, który czynił takie filozoficzne uwagi, żeby z tego można było zrobić doskonale opracowany złodziejski kodeks. Obok Wicka mnie posadzono.

Przyszła jednak chwila, kiedy na trzech czołach równocześnie pojawiły się krople zimnego potu, kiedy rozmowa ogólna przeszła na tego wisielca.

— Uważaj, smarkaczu! — mówię trącając go w bok.

— *Fertig!* — odpowiada mi Wicek.

A ciocia mówi z przymileniem:

— Bardzo Józio kocha mamusię?

— Pewnie, że bardzo!

— A tatusia?

— Bardzo!

— A babcię będzie kochał?

— Jeszcze więcej!

Ciocia jest wniebowzięta.

— A czemu babcię jeszcze więcej?

— Jak dostanę rubla, to powiem.

Dałem mu pięścią w bok, że aż syknął, ale nie omieszkał kopnąć za to pod stołem psa, że aż się wrzask podniósł.

— Myślałem, że to krzesło! — powiada ten dziedziczny rzezimieszek.

Chcieliśmy jak najprędzej skończyć tę męczarnię, więc ja zapytuję nieśmiało po dłuższej chwili, czy przypadkiem ciocia nie jest zmęczona. Ona jednak rozszerzonymi oczyma patrzy na wnuczka. Zwracamy wszyscy spojrzenia i widzimy z przerażeniem, że Wicek chowa srebrny widelec do kieszeni.

Panna Zosia, tonąc, chwyta się brzytwy.

— Józiu! — woła panna Zosia — czemu się bawisz widelcem?

— Serwus! — powiada Wicek widząc, że go odkryli — ja tylko tak na hecę.

— Pójdziesz do kąta, dziecino...

To „dziecino" jest najlepsze. Wicek jednakże nigdy i nikomu nie pozostał dłużnym w odpowiedzi, więc powiada do „rodzonej matki":

— Stań pani sama w kącie, a będą w pokoju dwa piece.

— Jezus Maria! — szepce ciocia — jak można tak do matki?

— Jak ona jest moja matka, to ja jestem generał! — odpowiada ten złodziej — daj paniusia dwa ruble, a wszystko powiem...

Chrząszcz wywrócił stół, jakby nagle oszalał, i gdzieś uciekł jak młody jelonek, ja za nim, panna Zosia za nami. Jeden Wicek został. Ciocia wcale nie zemdlała. Wzięła Wicka na indagację i to bydlę wszystko powiedziało; ciocia zawołała stróża i Józef Marek Aureliusz dostał w osobie Wicka takie lanie, jak Pan Bóg przykazał, a panna Domicela tego samego dnia zapisała wszystko na kościół, z legatem dla tego szubienicznego bakcyla, Wicka, aby go wychowywano w bojaźni Bożej.

Kiedy mnie i Chrząszcza napotka kiedy w rynku, zbrodniarz jeden, ucieka na dziesięć kroków i krzyczy na całe gardło:

— Te! ojciec! Moje uszanowanie!

— Twój syn zginie w kryminale — mówię Chrząszczowi — jabłko niedaleko pada od jabłoni.

prawdziwe małżeństwo znieważa Szymona Chrząszcza

Pamiętnik nasz z czasów bujnej młodości, która wcale nie była rzeźbiarką życia, lecz chodziła na głowie, płatała nieszczęsne głupstwa, wliczając w to już i pisanie wierszy, i śmiała się na całe gardło, nie wiadomo czemu — pisany był wprawdzie atramentem, lecz przyprawionym umiejętnie spirytusem. O Szymonie Chrząszczu szczególniej chodziła fama, że się nawet myje alkoholem, co z dwóch przyczyn było niemożliwe, dlatego po pierwsze, że dostojny ten malarz nie był zdolny do świętokradztwa, a po drugie dlatego, że się w ogóle nie mył. Inna rzecz, że we wspaniałym apartamencie przy ulicy Małej Zwariowanej, któryśmy w tym czasie zajmowali, na naczelnej ścianie czernił się wspaniały, przez samego Chrząszcza uczyniony napis: „Alkohol gubi ludzi", a pod nim wisiały namalowane dwie nerki ludzkie, wskazujące straszliwe skutki pijaństwa. Mógłby tedy Chrząszcz, zmarłszy kiedyś na delirium, stanąć na sądzie boskim z czołem jasnym i rzec: „Panie Boże! Czyniłem, com mógł!"

Rzeczą jest ogólnie wiadomą, choć przez Ojców Kościoła przez zwyczajną zawiść nigdy nie zanotowaną, że dobry Pan Bóg stanowczo woli jednego porządnego malarza niż sto dewotek, a jednego lekkomyślnego poetę więcej ceni niż nawet bractwo pod wezwaniem świętego Kalacera albo Józefa z Arymatei. Tak to już jest i żaden sobór tego nie zmieni.

Uważaliśmy tedy i utwierdziliśmy się z głęboką wiarą w przekonaniu, że goła nasza w owym czasie nędza jest tylko antraktem i że wreszcie niebo nas sobie przypomni. Żeśmy zaś byli ludzie naiwni i gołębiego serca, wyobrażaliśmy sobie tak: jednego wieczora wracamy do legowisk w pracowni Szymona przy ulicy Małej

Zwariowanej i bałwaniejemy. W pracowni wielki stół nakryty obrusem uprzędzonym z obłoku, a na stole cała restauracja. Siadamy do uczty, a usługują nam anioły, jeden zaś chodzi od Chrząszcza do mnie bez przerwy i zapytuje suchym głosem: „Białe czy czerwone, *s'il vous plaît?*"

Jeszcze się to nie zdarzyło, ale będziemy czekać bezustannie, trudno jest bowiem tak żyć, jak żyjemy. Chrząszcz wprawdzie sprzedał obraz za dziesięć rubli, ale żyjemy za to już trzeci miesiąc i jużeśmy mocno nadszarpnęli kapitał. Ja napisałem krwią i łzami cykl sonetów miłosnych, z którymi jakiś idiota miał się pójść oświadczyć, ale ponieważ idiotę wraz z moimi sonetami zrzucono ze schodów, więc nie tylko że łotr jeden nie zapłacił, ale jeszcze ma do mnie pretensje pełne żalu.

Jedynym promieniem słonecznym, który czasem padł na nasze twarze, to były promienie z dwóch par oczu, które należały prawowicie do dwóch dziewic, a mianowicie panny Józi Smoczek i panny Stelli Wątróbkówny. Pierwsza miała pretensje nie uzasadnione do Chrząszcza, druga do mnie. Należy przyznać ze smutkiem, że w czystą i niebiańską miłość naszą z owych czasów wplątał się, jak zawsze, interes, tak że rozważając z Chrząszczem te sprawy, doszliśmy do przekonania, że miłość bezinteresowna jest w ogóle chimerą. Odkrycie to zasmuciło nas śmiertelnie i odebrało nam apetyt na jakie trzy dni. Zapijaliśmy tę sprawę, bo smutek nas dręczył z tego powodu nieznośnie. Chrząszcz serdeczniej się upił, niż wtedy nawet, kiedy nas tak rozżalił smętek nad upadkiem metafizyki, żeśmy się chcieli wieszać.

Panna Józia Smoczek pracowała w pralni „męskiej, damskiej i dziecinnej", nie używającej chlorku i tym się odznaczającej, że umiała cudownie barwić bieliznę na niebiesko, żółto, szmaragdowo — jak kto chciał. Raz oddali z tej pralni koszulę naprawdę czystą, ale tylko dlatego, że zapomnieli jej wyprać. Panna Smoczek była tam pierwszą wśród równych, że zaś była dziewicą czystego serca, ciągły zaś widok męskiej bielizny bezwarunkowo budzić musi w dziewicy myśli romantyczne, zbudziło się serce i w pannie Smoczek. Że zaś Chrząszcz oddawał raz na miesiąc do prania jeden kołnierzyk i jeden mankiet, musiała zwrócić uwagę na człowieka tak małych potrzeb i tak dziwnie noszącego mankiety. Na tym właśnie mankiecie zakwitła miłość. Kiedy go bowiem Chrząszcz jednego razu odebrał z rąk panny Józi, przeczytał zdumiony na jego odwrotnej stronie: „Całym sercem prała osobiście — niech pan zgadnie kto?" Z kolei musiała zwrócić uwagę Chrząszcza i kwiecistość tego miłosnego hymnu, i prostota wyznania.

Stąd poszło, że jednej niedzieli odbyły się do niczego nie obowiązujące zaręczyny Józefy Smoczek z Szymonem Chrząszczem, bez odpowiedzialności na wypadek przyjścia na świat potomstwa, z tygodniowym wypowiedzeniem w razie zerwania, zastrzeżonym prawem używania pralni dla Chrząszcza i dla mnie i z wyraźnie wymówionym prawem pobicia w razie zdrady ze strony panny Smoczek.

Do tego całego przedsiębiorstwa przyplątała się wkrótce za poręką panny Józi — panna Wątróbkówna. Pominąwszy zaostrzające apetyt nazwisko, zwrócić należy uwagę na promienne imię Stella; pojmie się je, jeśli się weźmie pod uwagę, że mama tej ślicznej panienki zadawała się przez czas dłuższy z suflerem teatralnym, który szeptem uwodził kobiety. Panna Stella nie była zapewne klasycznie piękna, miała jednakże oryginalną barwę rąk: czerwonosiną. Przypominały one barwą raka, którego we wrzącej wodzie tknęła na dobitek apopleksja. Oczy też miała niepospolite, bo zezujące nieco na zewnątrz, co ma tę dobrą stronę, że rozszerza człowiekowi widnokrąg, pozwala się ustrzec przed kieszonkowym złodziejem, a przy tym nadaje twarzy wyraz zawsze uśmiechnięty. Najlepszą jednak, choć nieco tłustą stroną panny Stelli był fakt, że pracowała ona w masarni przy krajaniu kiełbas i szynek. Dziwne w tej kobiecie było serce, gdyż muzy tak nie miłowały poezji, jako ona właśnie, i nic jej nie mogło tak uszczęśliwić jak wiersz, płaczący każdą zgłoską, łkający każdym rymem, obolały jak chory ząb, krwawy jak samo serce. Czy można sobie wyobrazić miłość czulszą, jak tej właśnie panienki?

Do tego wszystkiego, od czasu kiedy panna Stella weszła do naszego wyborowego towarzystwa, zaczęliśmy wszyscy lepiej wyglądać. Krótko mówiąc, Chrząszcz się obżerał.

Ale i to się wszystko skończyło, a wtedy uczciwy człowiek poznał wartość kobiecych przysiąg. Pannę Józię odbił Chrząszczowi zwyczajny tapicer, który się z nią ożenił, panna Stella wyszła za mąż za konduktora tramwajowego, który wprawdzie nie pisał wierszy, ale za to miał prawie że jeneralski mundur, stałą gażę i niestałe napiwki. Czy w oczach panny Stelli Wątróbkówny wytrzymałby Szekspir konkurencję z konduktorem tramwajowym? O, goryczy!

Nadeszło znowu siedem egipskich okresów czasu, tak bardzo chudych, że nawet głód u nas zgłodniał; muchy zdychały z głodu w naszym apartamencie, z którego widać było pogodne niebo, gwiazdy, koty na okolicznych dachach i dymy z kominów. Nikt nas nie odwiedzał, bo nie było na czym usiąść, a jeśli i kto zaszedł, nagłego dostawszy obłędu, to odchodził szybko w ostrzejszym jeszcze stanie.

Goście przychodzili jedynie w nocy. Szelma Chrząszcz zawsze kogoś przyprowadzał z ulicy, szczególnie kiedy deszcz lał. Był to zawsze jakiś malarz niechlujny, Chrząszcza przyjaciel od serca, czasem zaś to ich o północy przychodziło dwóch albo trzech. Najpierw w ciszy nocnej rozlegał się srogi wrzask na schodach, gdzie się stróż darł na całe gardło, życząc tym najmilszym lokatorom połamania wszystkich rąk i nóg, w naszym zdemokratyzowaniu bowiem zaszliśmy tak daleko, że nie chcąc czcigodnego tego człowieka obrażać dawaniem napiwków za otwarcie bramy — podawaliśmy mu z godnością rękę. Co to znaczy jednak proletariusz z lokajską w piersi duszą! Nie tylko że przez cofnięcie swojej ręki odmawiał nam prawa do tego szlachetnego sposobu nagradzania jego pracy, ale po otwarciu bramy otwierał szerzej jeszcze plugawą swoją paszczę i rzygał przekleństwami aż na szóste piętro.

Całe szczęście, że Pan Bóg, odmówiwszy nam wszystkiego, dał nam jednakże szlachetność gestu i pełen godności spokój ducha.

Kiedy się ta codzienna ceremonia odbyła na schodach, właził do apartamentu Chrząszcz i co najmniej dwie wywłoki od pędzla. Czułem zwykle po chwili, jak się ktoś wali z wielką siłą i z wielkim przekonaniem w moje rodzone, własne legowisko, odsuwa mnie do ściany i rozkłada się wygodnie. Wszelki protest z mojej strony byłby daremny i zważywszy gwałtowne usposobienie tych malarskich Kalibanów, mógłby się skończyć morderstwem. Czasem jednak zdarzał się między tą hołotą człowiek obyty i gładkich manier, choć malarz. Raz taki jeden zwalił się do mego łoża i po chwili już chrapie. Zasnąłem i ja. Po godzinie jakiejś czuję, że mnie ktoś kopie pod okryciem, które nieuleczalny wariat, i do tego obciążony dziedzicznie, mógłby nazwać kołdrą.

— Ki diabeł? — myślę sobie — jeszcze jeden przyszedł.

A ten łajdak kopie dalej.

— Panie! panie!

— Czego, do stu piorunów? — krzyczę ja z umiarkowaną trwogą.

Na to on szuka w ciemności mojej ręki, potrząsa nią mocno i powiada:

— Pan pozwoli, że się przedstawię? Jestem Antoni Pistolet. Przepraszam, żem tego wcześniej nie zrobił.

To jeszcze nic. Ale rano taki gość ani myślał wstawać; spał do południa, potem ze dwie godziny naprawiał sobie but, zamalowując przez otwór w nim atramentem białą plamę skarpetki, potem przez godzinę łgał, ile to on dostał w Paryżu złotych medali, które naturalnie wyrzucił przez okno, bo co mu tam złoty medal! Potem z dwudziestu niedopałków, wydobywanych z dwudziestu kieszeni, skręcał przedziwną sztuką nowego papierosa i wysławszy mnie na zwiady, czy na schodach nie ma gdzie stróża, wychodził wreszcie z gracją, puszczając w *plain air* kłęby śmierdzącego dymu.

Ale najlepsze to było potem. Z zupełnie uzasadnioną ciekawością pytam:

— Słuchaj, Chrząszcz, kto to był?

— Albo ja wiem? — odpowiada ta małpa.

— Jakżeż możesz obcego człowieka przyprowadzać do domu?

— To nie jest obcy, to malarz.

— A ty skąd to możesz wiedzieć?

— Wiem, bo spał na plantach.

Gadaj z takim! Pewnie, że jeżeli spał na ławce w ogrodzie, to musi być porządny człowiek, bo złodziej, bankier albo inny taki kapitalista śpi na materacu, ale zawsze ostrożność nie zawadzi.

Raz w istocie omal żeśmy nie wpadli w kabałę.

Przyprowadził Chrząszcz jakiegoś jegomościa, który wcale nie wyglądał tak, jakby musiał spać po ogrodowych ławkach; bardzo był nawet elegancki i w wielkiej z Chrząszczem komitywie. Spotkali się z Chrząszczem w nocy, tamten poprosił o ogień do papierosa i rozgadali się. Jegomość oglądał potem przy świeczce obrazy Chrząszcza, powiedział kilka bardzo rozsądnych uwag i bardzo pochwalił, czym Szymona chwycił za serce. Mnie powiedział, że mnie zna z książek, i radził serdecznie, abym w sonetach nie nadużywał trochejów, gdyż to wytwarza pewną monotonność. Bardzośmy byli zażenowani tą wizytą, tym bardziej że gość patrzył dokoła siebie bardzo przenikliwie i widocznie posiadał nadzwyczajnie rozwinięty zmysł obserwacyjny. Wreszcie powiada ni z tego, ni z owego:

— Panowie dawno jedli?

Ja spojrzałem na Chrząszcza, Chrząszcz na mnie i nie wiemy, co ma znaczyć takie pytanie, i Chrząszcz wybąknął wreszcie:

— Och, tak, prawie... owszem...

— No, to bardzo dawno! — mówi gość, który nie wiadomo jaką metodą wywnioskował to z kryształowo przejrzystej odpowiedzi Chrząszcza.

Potem zaczął przeglądać pilnie stosy obrazów, z których najlepsze leżały pod piecem, i wziął do rąk jeden, którego ja używałem do zastawiania dziury w szybie. Patrzy, patrzy, wreszcie mówi:

— Panie Chrząszcz, ile pan chce za to płótno?

— Za to płótno — powiada zdumiony malarz — chcę dwa ruble trzydzieści kopiejek, bo tyle kosztowało.

— A za obraz?

— Gdybym miał pewność, że pan jest wariat, to bym zażądał pięć rubli, ale ponieważ pan na wariata nie wygląda, więc niczego nie żądam.

Gość na to nic, tylko wyjmuje całą paczkę banknotów, wybiera z tego trzy papierki po sto rubli, wtyka to Chrząszczowi w rękę i powiada:

— Więcej na razie dać nie mogę, bom sam niebogaty, ale to jest warte dziesięć razy tyle.

Chrząszcz się zatoczył, ja usiadłem, gość zaś patrzył na nas bardzo wesoło i wcale przyjemnym wzrokiem. Potem zapakował obraz bardzo starannie, pocałował się z Chrząszczem, mnie uścisnął serdecznie dłoń i poszedł.

Boże drogi! W tej chwili zjawił się przy nas już nie zwyczajny anioł, ale archanioł z dwiema butelkami w rękach i mówi suchym głosem: Białe czy czerwone — *s'il vous plaît?*

Chrząszcz podszedł do pieca i uderzył weń łbem, próbując tym prostym sposobem, czy jest przy zdrowych zmysłach, ja zacząłem śpiewać o godzinie drugiej w nocy, tak że się wreszcie ozwało do drzwi stukanie. Myśleliśmy, że to jest echo mojego wycia i że jakiś uczciwie płacący lokator dopomina się niespokojnie o swoje prawo spokoju u lokatorów uczciwie nie płacących.

Umilkłem, a tam ktoś tłucze się dalej.

— To on wraca po swoje pieniądze — mówi z śmiertelnym rzężeniem Chrząszcz.

— On?

— Zobaczył obraz przy latarni i przychodzi mnie zabić. Nie otwieraj!

Ale otworzyć było trzeba, bo wrzask już był na całą kamienicę. Idę otworzyć... Jezus Maria! Policja!

Robi się szalona awantura, włażą do nas, szukają czegoś za piecem, pod łóżkiem, zaglądają nawet pod krzesła; jakiś dygnitarz zapytuje nas, czy nie był u nas taki i taki jegomość, z taką i taką twarzą, tak i tak ubrany. Stróż łajdak, nasz wróg, świadczy, że był. Mówimy więc i my, że był, że kupił obraz i poszedł. Awantura czyni się jeszcze straszniejsza, bo nikt nie chce, i to bardzo słusznie nie chce uwierzyć, żeby rozsądny człowiek kupował obraz o drugiej godzinie po północy.

Pokazało się, że nasz gość to był zwykły, a raczej niezwykły złodziej, który okradł żydowski bank. No, całe szczęście, że to żydowskie pieniądze! Ciągali nas po cyrkułach, od Annasza do Kajfasza, ale wymowa nasza, jasne spojrzenie, a szczególnie niewinne nasze, z pewnym wyrazem anielstwa twarze — przekonały szybko naszych prześladowców, że prawdą jest, co mówimy. Pieniędzy Chrząszczowi nie odebrali, to najważniejsza rzecz, bo pieniądze te zostały przez Chrząszcza uczciwie nabyte.

Po tym wszystkim powiada on do mnie:

— Dziwna rzecz, raz w życiu sprzedałem obraz, a złodziej go kupił.

— Idź złoto do złota! — rzekłem mu na to.

— Tak, moja sztuka zadowala gusty zbrodniarzy — mówi Chrząszcz — ale to był bardzo miły człowiek...

A ja, co miałem dwóch przyjaciół hrabiów, kilku dyrektorów banku, paru dyrektorów teatru, siedem tysięcy adwokatów, musiałem mu przyznać rację.

Z tym wszystkim otworzyły się przed nami zupełnie nowe horyzonty, nie mówiąc już o tym, że posiadanie tak oszałamiającej kwoty zmieniło w zupełności nasze społeczne stanowiska; dodało nam ono odwagi do życia i jakiejś wspaniałej pewności siebie; rozpaliło w nas wrodzoną dumę, tak że każdy z nas, dziad z dziada pradziada, aż się uginał pod brzemieniem wspaniałej królewskości. Zauważyliśmy, że mamy twarze natchnione, że Chrząszcz ni stąd, ni zowąd stał się podobnym do Michała Anioła, ja zaś cokolwiek do Zaratustry, którego wizerunku żaden z nas nigdy nie widział, ale to najmniejsza.

Chrząszcz przy tym wszystkim, dość z natury nieśmiały, uczynił się nieprawdopodobnie bezczelnym; aroganckim był od pewnego czasu jak Żyd, impertynencki jak kelner, obraźliwy jak kokota, dokuczliwy jak grafoman; dziwił się, że mu się tramwaj nie ustępuje z drogi.

Uczynił się też cokolwiek ceremonialnym i nabrał arystokratycznych manier i sposobu wyrażania się; jednej nocy śniło mu się nawet, że przyjął lokaja, którego ja znów następnej nocy, również we śnie, odprawiłem. Mówić począł cokolwiek przez nos, szczególnie wtedy, kiedyśmy omawiali sprawę najlepszego wykorzystania majątku. Chrząszcz chciał wynająć willę za miastem i trzymać konie, co mu jednak odradziłem, radząc włożyć kapitał do jakiegoś bardzo pewnego banku, procenty zaś obrócić na podróż do Indyj Wschodnich.

O własnym jachcie na razie nie mówiliśmy.

Z tych czasów w ogóle Chrząszcz wiele zawdzięczał moim zdrowym radom, gdyż dostawszy do rąk majątek, byłby się zmarnował, jak tylu nagle wzbogaconych perweniuszów, ja go to bowiem odwiodłem od zmiany nazwiska, ja go przestrzegałem przed zbyt pochopnym kupowaniem hrabiowskiego tytułu, ja go powstrzymałem przed nabyciem kilku tuzinów jedwabnej bielizny, jam jest, który mu z pomocą poważnych argumentów odradził wzięcie sobie metresy, baronowej Lili van der Loo, chociażby nawet na współkę z takim zaprzysiężonym, jak ja, przyjacielem.

Nie mogłem jednak powstrzymać tego konia bożego od tego, by nie urządzał zwariowanych kawałów w innym stylu. Idąc ze mną ulicą wchodził nagle, nie uprzedziwszy mnie przedtem, do największego jubilera i kazał sobie pokazywać perły. Jubiler, zanim dał perły do obejrzenia, obejrzał zwykle Chrząszcza, i pokazywał. Co miał robić? Szymon obejrzał same wielkie bicze, od pięćdziesięciu tysięcy w górę, cmokał ustami, kręcił niezadowolony głową, wreszcie wycedzał przez zęby:

— Strasznie mały ma pan wybór... Och, bardzo mały!... A ja tak chciałem zaprotegować pańską firmę. To dla mnie za mizerne.

Potem wychodził dostojnie, jak władca, któremu książęta otwierają drzwi.

Że go za to wszystko razem nie zamknęli, to jest wyraźna boska opieka.

Kiedy się w nocy kładł na swoje łoże, które trzy żebra miało z desek, a brzuch wypchany spróchniałą morską trawą, mówił mi przez nos:

— Mój drogi, każ mnie jutro zbudzić około pierwszej. Ach i zapowiedz, że czekoladę na śniadanie będę pił mrożoną.

— Uprzedzę starszego kamerdynera — odpowiadałem — proszę spać spokojnie.

— Gdybym tylko mógł usnąć. Akcje kopalni złota znowu spadły.

— Tak, ale za to stalowe stoją doskonale.

— Tak? Że też ten niedołęga sekretarz nic mi o tym nie wspominał. Aha! byłbym zapomniał. Bądź łaskaw kazać mu jutro napisać do księżnej d'Oran-Gou-tang, żeby nie czekała na mnie z obiadem, bo jem jutro w klubie. Ty będziesz łaskaw?

— Zobaczę. Trufle tam dają nieświeże.

Księżna Rohan mogłaby się u nas uczyć dystynkcji i cudownej lekkości w prowadzeniu dialogu.

Jednakże trzeba było o czymś pomyśleć naprawdę. Trzysta rubli to jest bezczelnie wielka kwota, Chrząszcz mówił mi nawet, jakoby to gdzieś czytał, że takiej sumy nie dawali dawniej królowie swoim córkom w posagu. Jest to rzecz w zupełności możliwa. Projektów tedy mieliśmy sto, z których najbardziej omawianym był projekt najprostszy i przedziwnie w konstrukcji swojej jasny, aby ten majątek przepić. Przez chwilę myśleliśmy także o tym, aby za te całe trzysta rubli zakupić mszę na intencję zbawienia duszy wspaniałego ofiarodawcy, nieszczęsnego złodzieja, przyszliśmy jednak do przekonania, że to jest człowiek beznadziejnie zgubiony i nic mu już nie pomoże. Projekt zapisania tego majątku klasztorowi karmelitanek bosych upadł również szybko, bez dyskusji.

Poznaliśmy wtedy na własnej skórze, ile to nieoczekiwanych trosk rodzi posiadanie wielkiego majątku, czemu nie chcieliśmy wierzyć, kiedy nas o tym przekonywano w szkołach. Całe nieszczęście w tym, że nikt nie chce uwierzyć wielkiej tej prawdzie na kredyt, lecz każdy do uznania jej chciałby przejść przez osobiste doświadczenie. Wielcy moraliści powinni takie wzniosłe prawdy wpajać w ludzi sposobem poglądowym: dać każdemu z upartych niedowiarków sto tysięcy rocznej renty i rzec mu: „Nie chciałeś wierzyć, idź teraz, cierp! Zobaczymy, czy będziesz szczęśliwy!” Szkoda jednak, że wielcy moraliści są mocni tylko w gębie, a poza tym są to sami oberwańcy. I to także jest złe, że najgłębiej tkwiącą zasadę można wyrwać jak ząb. Znaliśmy jednego apostoła wstrzemięźliwości, który się rozpił z rozpaczy, że nie znalazł ani jednego zwolennika. Była raz jedna miłościwa pani, która chodziła po kawalerskich mieszkaniach zbierać ofiary na nieprawe dzieci w Kochinchinie i nie tylko, że zebrała mało, ale jej osobiście przybyła jedna sierota niewiadomego ojca.

O, życie jest bardzo złośliwe i nie ma innego proszku na tego dokuczliwego owada, jak tylko filozofia, raczej filozoficzny spokój, wzniosłość ducha, litościwa wzgarda, wspaniałe wzruszenie ramion, uśmiech nie z tego świata.

Właśnie tę metodę w stosunku do życia zastosowaliśmy z Szymonem Chrząszczem.

Patrzano też na nas z podziwem i z zawiścią. A my nic — jak mur. Idziemy szukać doskonałego szczęścia z majątkiem w kieszeni. Podzieliliśmy go uczciwie i postanowiliśmy go używać nie lekkomyślnie wprawdzie, lecz z szerokim gestem; odrobić wszystek czas stracony na głód, odjeść wszystkie posty i bawić się. Chrząszcz aż się rwał do użycia. Łajdak ten zjadł jednego dnia sześć obiadów i cały dzień chodził z wykłuwaczką w gębie, co wszystkich jego przyjaciół przyprawiało o żółtaczkę.

Nowy okres życia postanowiliśmy zacząć od wydania wielkiego balu dla poetów, malarzy, rzeźbiarzy, sztycharzy, aktorów, aktorek, modełek i kobiet jeszcze lżejszego prowadzenia się, jednym słowem dla całego artystycznego cechu. Po balu lekkomyślność miała ustąpić miejsca zimnemu rachunkowi, Lukullus miał się powiesić na lampie, Spartanin zaś usiąść miał z chlebem i źródlaną wodą przy naszym stole.

Nie zamyślam sławić rzeczy minionych, bal ten jednakże poruszył całe miasto. Historia bowiem jego była wspaniała.

Jedynym obszernym lokalem, jakiśmy mieli do rozporządzenia przez nasze znamienite wpływy, to była ogromna sala, w której na kilkunastu stołach leżały zazwyczaj nieboszczyki ze wzgardą milczące, nudząc się śmiertelnie. Stąd je transportowano do prosektorium. Sala była naprawdę śliczna, a pięknie urządzona, mogła przy odrobinie fantazji przypominać wersalską salę zwierciadlaną. Przyjacioły nasze sprawiły, że w takim a takim dniu znudzone nieboszczyki, którym zmiana miejsca bardzo zresztą mało mogła zaszkodzić, zostały przeniesione do mniej wygodnego lokalu. Trochę ruchu umarłemu nie zawadzi, a myśmy potrzebowali miejsca.

Rozesłane zostały zaproszenia z Chrząszcza i moim skromnym podpisem, zapowiadające, że w sali, specjalnie na ten cel urządzonej, odbędzie się „herbatka tańcująca". W komentarzach było powiedziane, że strój jest dowolny, nago jednak, ze względu na spodziewaną obecność dam, uprasza się nie pojawiać na sali. Zastrzeżenie to było konieczne, diabli bowiem wiedzą, co zwariowanemu malarzowi może strzelić w ostatniej chwili do łba. Prosiliśmy też przezornie, aby goście nie przyprowadzali ze sobą swoich rodzin, grzeczna bowiem uwaga w zaproszeniu zapowiadała — jak można tylko najdelikatniej — że goście nie proszeni zostaną wyrzuceni za drzwi, gębą na schody, bez uwagi na nazwisko, majątek i stanowisko społeczne bezczelnej osoby. W szerokim tym zaproszeniu proponowaliśmy paniom dekolt raczej od góry, niż od dołu, i to w granicach policyjnie dozwolonych; z dziećmi przy piersi na bal wchodzić nie było wolno. Przezorność nasza, korzystająca ze znajomości naszych przyjaciół i przyjaciółek, była bezgraniczna, zapowiedzianym było na przykład, że po złożeniu słowa honoru będą danserom wypożyczane rękawiczki, których kilka par pożyczyliśmy znowu za kaucją z zakładu pogrzebowego: były to wspaniałe, białe rękawiczki tych hiszpańskich grandów, którzy z latarniami idą obok karawanu i bardzo się smucą jednym okiem.

Regulamin balowej sali zapowiadał w dalszym ciągu rozmaite przyjęte na balach dworskich i arystokratycznych obostrzenia: nie wolno było wchodzić na salę balową z psem, pluć na podłogę, palić fajek podczas tańca, rozbijać głowy aranżerowi tańców, korzystać z zaufania dam, które przybędą mocno dekoltowane, odpinać kołnierzyków ani zdejmować surdutów ze względu na możliwe w sali gorąco; nie wolno się upijać do nieprzytomności, nie wolno gasić świateł, w tańcu używać figur rozpustnych, ze względu zaś na oszczędność w zapasach alkoholu niedopuszczalnym jest picie zdrowia z trzewików pań, zważywszy, że może się przy tym wszystkim znaleźć dama ze słoniowatą nogą, a pijacka zachłanność malarska naturalnie ją by do tej wybrała ceremonii i jej „trzewiczek".

Dla dam poczyniliśmy jak najdalej idące ustępstwa. Aby być dopuszczonym na salę balową, nie potrzeba było wykazywać się metryką ślubu; posiadanie zaś kilkorga dzieci przy równoczesnym panieńskim tytule nie stanowiło w tym względzie najmniejszej przeszkody. Damy miały zagwarantowaną osobistą nietykalność, pozostawionym jednak im zostało prawo inicjatywy w razie, gdyby z nich która nagły poczuła w sercu dreszcz. Więcej już z kurtuazji dla dam uczynić nie było można. Byliśmy co prawda przekonani, że każda z dam na bal nasz zaproszonych mogłaby być damą dworu najwspanialszej królowej, ale — afrykańskiej, gdzie cały dwór chodzi na goło. Niedoświadczonych ludzi mogło jednak przerazić to przede wszystkim, że wszystkie nasze damy przywykły raczej do rozbierania się, niż do ubierania — bez złej myśli, broń Panie Boże! — lecz z fachu, były to bowiem w przeważnej części aktorki i modelki. Znałem jednak, zaprzysiężony znawca zwyczajów i obyczajów kobiecych, ten szczegół z kobiecej psychologii, który orzeka, że kobieta nigdy się nie gniewa, jeśli się ją ujrzy nagą, pogniewa się jednakże śmiertelnie, jeśli się ją widzi rozbierającą się.

Byliśmy jednak pewni swego, gdyż przewidzieliśmy wszystkie możliwe wypadki. Z góry był nawet wyznaczony do funkcjonowania na sali sąd honorowy, przypuszczaliśmy bowiem nie bez racji, że tam gdzie będzie kilku poetów, kilku malarzy i kilku aktorów, nie obejdzie się bez awantury i bez tego, aby ktoś komuś w towarzyskim dialogu nie wybijał interpunkcji na zębach. Naród bowiem poetycki, malarski i aktorski tak długo jest przyjemnie fałszywy, jak długo jest trzeźwy. Rzekłbyś, że to anioły się zeszły na symposjon i grają na harfach. Kiedy jednak naród ten nieco podpije, wtedy się okazuje jasno jak na dłoni, że dwóch najwierniejszych przyjaciół życzyło sobie wzajemnie przez całe życie całego szeregu chorób, z których najlżejszą miał być trąd azjatycki, z towarzyskiej uprzejmości jednakże nie chcieli sobie tego powiedzieć. W dalszym ciągu wiadomą jest rzeczą, że nikt tak bardzo nie pogardza drugim człowiekiem, jak aktor aktorem, i jest wewnętrznie najgłębiej przekonany, że jego kolega nie siedzi w kryminale jedynie przez jakąś nie wytłumaczoną pomyłkę. Naród ten, w przeciwieństwie do poetów, jest szczery na trzeźwo, a uprzejmie fałszywy po pijanemu. Aktorki za to są fałszywe w każdym stanie serca i umysłu. Dodać do tego wszystkiego należy, że najlepsza policja świata nie zna tak dokładnie wzajemnych między ludźmi stosunków, jak to wiedzą poeci o poetach, aktorzy o aktorach. W literaturze i teatrze nigdy i nic się nie ukryje, każde słowo zostanie zapamiętane, zanotowanym będzie każdy ruch. Pierwsza naiwna wie najdokładniej, z kim ma stosunki komiczna matka; pokaż zaś charakterystycznej przechodzącą przez ulicę przybraną w futro heroinę i powiedz jedno tylko słowo: „futro!" Charakterystyczna otwiera gdzieś w żółci ukryty odpowiedni tom encyklopedii i mówi: ‚kupione tam a tam, kupił je ten i ten, tamtej środy, jechali oboje dorożką, zapłacił tyle i tyle; ma żonę taką i taką, dzieci troje, Kazia, Stasia i Zosię, jest łajdak, pieniądze z nieczystego źródła, w teatrze zawsze na fotelu numer 14; teraz idą na kolację ze słodkim szampańskim, bo ta małpa innego nie pije; ma brodawkę na plecach i paznokieć jej wrasta w wielki palec prawej nogi."

Aktor w słowach jest wstrzemięźliwszy i powiada krótko, jasno i wyraźnie: „Ten? miał być złodziejem, a został aktorem. Ale on ma jedną dobrą rolę." Nie było wypadku, aby w aktorskich referencjach wzajemnych jeden o drugim nie powiedział o tej jednej dobrej roli, której nigdy nikt nie widział, ale to jest tak powiedziane na wszelki wypadek, jak piorunochron.

Najmniej obawy mieliśmy o rzeźbiarzy. Jest to naród z przyrodzenia tępy a dobrotliwy; każdy z nich porając się z kamieniem nabiera niedźwiedziej siły, a wiadomo jest, co zostało powiedziane ongi heksametrem: „Atletom zresztą, wiadomo, siła nie dana jest w głowie." Moim zdaniem, na rzeźbiarzach można najlepiej dowodzić prawdy przysłowia, które powiada, że z jakim przestajesz, takim się stajesz, że zaś rzeźbiarz przez całe życie wykuwa z kamienia bałwany, toteż zazwyczaj bałwanieje. Jak mało mają ci ludzie fantazji, tego można się dowiedzieć z polskich powieści, w których bohaterem jest rzeźbiarz; w stu takich powieściach na sto, rzeźbiarz zakochał się w jakiejś cud-dziewicy, której kształty dobrze mu się zarysowały przez suknię, rzeźbiarz uczynił naturalnie z cud-dziewicy wspaniały posąg nagi w marmurze, zwykle Galateę, Wiosnę, Sfinksa, Anioła śmierci; każda z tych dziewic zdradziła potem każdego rzeźbiarza, co nikogo nie dziwi, i oto rzeźbiarz chwyta młot i zamiast sprać dziewicę w jej własnej osobie, rozbija jej posąg i łka na gruzach. Zwykle taki bałwan dostaje jeszcze zapalenia mózgu, ale to niekonieczne. Upiłbym się z radości z powodu odrodzenia polskiej powieści, gdyby się w której z nich znalazł w epilogu rzeźbiarz, co nie rozbija posągu, lecz go sprzedaje za dobre pieniądze, a niewiernej kochance posyła bukiet, związany zielonym, jedwabnym stryczkiem.

Poza tym, jak się rzekło, rzeźbiarze jest to naród niezmiernie miły, choć z przyrodzenia tępy a łagodny. Powiesz mu dowcip, a on się najpierw chwyta za brzuch, tarza się ze śmiechu przez dwie godziny, a potem powiada: „Powiedz mi jeszcze raz, bo nie dosłyszałem!" Rób z takim, co chcesz! Nie można też dopuścić, aby rzeźbiarz rozmawiał z niewinną panienką albo inną porządną kobietą, bo w najlepszej intencji zechce nagle spróbować, czy jędrna wypukłość piersi nie jest przypadkiem sztukowaną; w ogóle zaś nie chce rozmawiać z osobą płci żeńskiej, której piersi mają wygląd ospały, gnuśny lub przypominają źle wypełniony bukłak z koziej skóry. Gębę mają ci zacni ludzie zwykle mocno obrosłą niedźwiedzią sierścią, a gdy się taki rozbierze (broń Boże do kąpieli!), ujrzysz, że tak jest szelma pokryty włosiem, że go można od razu położyć przed łóżko jako niedźwiedzią skórę. Słów używają mało, raczej gadają rękami, poza tym okazują nadzwyczajną energię w torowaniu sobie drogi; nie było wypadku, aby rzeźbiarz usunął łagodnie stojące mu na drodze krzesło — zawsze je kopnie tak, że się rozleci; musi być bardzo smutny i z tego powodu musi mu być wszystko jedno, jeśli otworzył drzwi za pomocą klamki, gdyż jeśli jest w normalnym nastroju, to je otwiera kolanem, brzuchem, głową, zresztą całym sobą. Jak zaś mało mówią ci ludzie, to jest zdumiewające przy równoczesnych wynikach; znałem rzeźbiarza, wielkiego mruka, który do modelki oprócz dwóch słów: „rozbierz się, panna!" i „ubierz się, pani!" — nigdy nie powiedział najmarniejszego słowa i z tego wszystkiego modelki omijały go, jak pijak studnię, gdyż każda miała z nim dziecko. Dziwni ludzie!

Na bal rzeźbiarze są w sam raz jako goście niezmiernie pożyteczni; dobre te chłopy tańczą z takim zapałem, że aż drzazgi lecą z podłogi, a dom chwieje się w fundamentach; nie upije się taki, choćby wypił morze, bo łeb ma z granitu, i zawsze można go użyć do wyrzucania gości lekkich i lekkomyślnych, co rzeźbiarz czyni z gracją i wytwornie, tak że nieszczęsnemu temu człowiekowi połamie ze sześć żeber. Toteż zaprosiliśmy na bal rzeźbiarzy cały tuzin, wśród nich bowiem mieliśmy najwięcej przyjaciół.

Bal się odbył w sobotę, zaczął się o godzinie dwunastej w nocy i trwał do wtorku rano, chociaż paru gości nie można było odszukać aż do następnej soboty; kilka zaś dam z naszego towarzystwa, i to najprzyjemniejszych, w braku odpowiednich kawalerów odprowadziła do domu policja.

Zabawa była pierwszorzędna i w istocie przepysznie wytworna. Dość powiedzieć, że mieliśmy nawet dwóch lokajów we fraku i nikt nie poznał, że to ambasadorowie śmierci, pachołki z prosektorium, które się przybrały we fraki zdarte z nieboszczyków. Funkcjonowali niestety bardzo krótko, gdyż spiły się bydlęta na śmierć i powlokły się spać pomiędzy swoje znudzone trupy. Każdy tedy z gości usługiwał sam sobie z przedziwną wprawą. Wprawdzie menu było uproszczone, bo czarna rzodkiew, chleb, kiełbasa i serdelki nie wymagają wielkiej znajomości lokajskiego kunsztu, ale prawdziwego wytwornego człowieka rozpoznasz i w tym nawet, jak je czarną rzodkiew. Dla dam były poza tym cukry i ciastka, co jednakże w połączeniu z poprzednimi potrawami okazało się niepraktycznym i sądząc po skutkach, dość ryzykownym dla zdrowia.

Podstawa balu była w alkoholu; bal nasz odbył się właściwie pod dewizą *panta rhei* — „wszystko płynie", toteż, nie daj Boże — jak płynęło! Wiele już rzeczy widziałem w życiu, ale malarza albo innego takiego z bractwa, pijącego naprawdę, jeszcze nie widziałem. Warto było płacić wstęp! Nie można się więc dziwić, że wśród tak podnieconego towarzystwa musiały zajść pewne drobne scysje i nieporozumienia, lecz żadnej grubszej awantury nie było. Zwyczajne tylko balowe, takie sobie pogadanki. Jednej bardzo opasłej aktorce jeden z malarzy, chudych a długich, chciał widocznie powiedzieć w tańcu komplement, ale powiedziała to małpa niezręcznie, bo jej rzekł, że kiedy patrzy tak z góry w jej dekolt, to widzi aż podłogę. Dama się obraziła, a że grywała w teatrze bohaterskie role, więc mu coś tam powiedziała z patosem, że „do cholery ciężkiej z takim tałatajstwem ze szpitala!", na co się znów on obraził i zostawił ją na środku sali.

Inny łotr, z lewej strony krzyża, począł jakiejś panience w tańcu rozpinać suknię, co podobno na prawdziwych balach nie jest przyjęte, słusznie więc został skarcony wyrzuceniem za drzwi na dwie godziny, aby otrzeźwiał. Najżywszą jednak uwagę zwracał na siebie „malarz smutny". Człowiek ten w wolnych chwilach ilustrował polskie pismo humorystyczne i z przyzwyczajenia zesmutniał tak śmiertelnie, że żal było na niego patrzeć; bali się ludzie, że ten człowiek uśmiechnie się po raz pierwszy w życiu wtedy, kiedy się powiesi. Należał do gości najbardziej eleganckich i ubranych najwytworniej, bo i z szykiem, i oryginalnie. Miał na sobie czerwoną koszulę, czarny krawat, który powiewał jak chorągiew, frak i żółte buciki, przez co tworzył wyborną plamę w jaskrawym, elektrycznym świetle. Ten człowiek pił tylko na smutno i tańczył na smutno. Nazywał się Eustachy Szczygieł. Nie mówił ani słowa, lecz siedział na krześle chudy, długi, skręcony w kabłąk, pod krzesłem zaś trzymał butelkę. Potem wstawał, szedł, nie patrząc, do którejkolwiek z dam i nawet nie ukłoniwszy się, nie zapytawszy, brał ją w ramiona — chciała czy nie chciała — i puszczał się w taniec. Tańczył bardzo, bardzo smutno. Czynił takie wrażenie, że nieboszczyk tańczy z własną trumną; podczas tańca patrzył melancholijnie w sufit, czasem westchnął tak, że się wszystkim na płacz zbierało, i znów podnosił z godnością chude nogi, z których lewa nie wiedziała, co czyni prawa; potrafił tak tańczyć ten taniec świętego Wita chyba równo ze dwie godziny, aż tancerka poczęła mdleć. Wtedy ją w dziwnych, szybkich podrygach, przypominających żywo pierwsze stadium epileptycznego ataku, odprowadzał na miejsce, obracał się na pięcie i w tych samych szczyglich skokach, z twarzą zawsze beznadziejnie smutną, biegł do butelki. W ten sposób tańczył ten człowiek przez dwa dni i dwie noce i zyskał sobie ogólną sympatię, pomieszaną ze współczuciem dla jego beznadziejnego smutku. Jedna z dam, zainteresowana tym dziwnym zjawiskiem, starała się go pocieszyć i niedwuznacznie ofiarowała mu siebie na pociechę. Szczygieł słuchał, słuchał, patrząc w sufit, potem słowa nie odpowiedziawszy, obrócił się i poszedł do bufetu.

Trochę zmartwienia było z innym malarzem, który koniecznie chciał wylać do fortepianu parę butelek piwa, co mu z wielkim trudem zostało wytłumaczone stwierdzeniem, że postępek ten byłby zwyczajnym złodziejskim kawałem i że jeśli to uczyni, to z jego własnych zębów towarzystwo uczyni fortepianowe klawisze. Przed rozsądną perswazją ustąpił, w kwadrans potem wlał jednak to nieszczęsne piwo komuś do cylindra, bo mieliśmy też gości w cylindrach.

Wśród dam rej naturalnie wodziły aktorki; są to w istocie kobiety urodzone do salonów i do wielkiego towarzystwa i niewiele z nich upiło się do nieprzytomności. Jako tako trzeźwe, prowadziły dyskurs z poetami o poezji, z malarzami o malarstwie, z rzeźbiarzami o rzeźbie. Jedną z nich uwodził mój przyjaciel, malarz, wielki złodziej, jeśli idzie o kobiety, i namawiał ją, aby koniecznie zatańczyła nago, przysięgając, że to musi wywołać nadzwyczajny wśród towarzystwa efekt.

Chrząszcz i ja gospodarzyliśmy w sposób w istocie cudowny; jedenaście razy w pierwszym nocnym okresie balu posyłaliśmy po nowy zapas alkoholu, chociaż gościnność nasza miała też chwile rozsądku, gdyż gościom, już beznadziejnie pijanym, odmawialiśmy stanowczo wszelkiego dalszego kredytu aż do wytrzeźwienia. Jeden Eustachy Szczygieł trwożył nas naprawdę, bo się nie mógł upić, że jednak taniec jego był nieoceniony, wszystkie jego nieme żądania, gdyż oczyma tylko wskazywał, czego mu się zachciało, zostawały spełniane natychmiast. Wymyślano dla niego rozmaite tańce, aby go wprowadzić w kłopot, więc „taniec langusty", „taniec ostrygi", „jarząbka", grano to na wszystkie możliwe zwariowane sposoby, a on ani drgnął, lecz tańczył wszystko na jeden sposób.

Oryginalność tego balu polegała i na tym także, że goście niektórzy wychodzili na parę godzin do domu, do teatru, do akademii i wracali z powrotem. W ten sposób bal ten mógłby był trwać przez siedem lat, a skończył się jedynie dlatego, że we wtorek rano zauważyliśmy z przerażeniem z Szymonem Chrząszczem, że nie mamy już przy duszy ani grosza. Spodziewaliśmy się, że bal tak niesłychanie wystawny będzie kosztował sumy, nikt się jednak nie mógł spodziewać, aby to wszystko razem nawet przy obłąkanej gościnności mogło kosztować trzysta rubli.

Niestety wyjaśniło się później, że na balu, w którym miało wziąć udział pięćdziesiąt osób, piło i jadło przez dwa dni sto pięćdziesiąt, gdyż każdy z wychodzących przyprowadzał ze sobą pięciu nowych gości z ulicy, z tramwaju, z domu, z teatru. Jeden łajdak, malarz, przyprowadził ze sobą swojego stróża z kamienicy, któremu się naszym chciał wypłacić alkoholem. Ogólne zaćmienie umysłów nie pozwoliło nam dostrzec tego łajdactwa, regulaminem balowym swoją drogą przewidzianego, jednak zauważyliśmy wszyscy pod koniec pewne obniżenie się wytwornej atmosfery, bo się goście, dotąd wyrafinowanie wytworni, uczynili mocno pyskaci. Bal arystokratyczny uczynił się balem ludowym, pokazało się też, że ostatnie tańce prowadził dorożkarz, który przywiózł na bal jakąś aktorzycę.

Ucztując w prosektorium nie wiedzieliśmy też, że całe miasto mówi o nas, i gdyby bal nasz potrwał jeszcze jeden dzień, poloneza byłby nam poprowadził burmistrz, a w białym mazurze byłaby wzięła udział cała straż ogniowa i wszystkie kościelne bractwa. Wielki bal w paryskiej Operze nie uczynił nigdy z pewnością tyle wrzawy, gdyż w Paryżu jest po każdym takim balu głośno jeszcze przez dwa dni, o naszym zaś rozprawiano przez trzy tygodnie, i to na rozmaite nuty. Uczciwe panny żałowały z całego serca, że na nim nie były, nieuczciwe nie żałowały, bo były wszystkie na balu. Wszystkie zaś matrony, stare wysiedziane kanapy, garnitury zębów w powłoce z żółtej skóry, długoszyjne żyrafy, trumny chodzące opowiadały o pięknym naszym balu rzeczy niestworzone: żeśmy byli tylko w cylindrach, a panie tylko w pończochach, że na sali stały otomany, żeśmy znieważali trupy, z którymi tańczyły aktorki, że damy miały karnety przywiązane na wstążeczkach do nagich piersi, że jakąś niewinną panienkę, która przez pomyłkę weszła na bal (jak mogła wejść przez pomyłkę — goła?), zgwałcono, że policja wynosiła pijane kobiety i wrzucała do rowów przydrożnych, żeśmy o północy spalili na środku sali Pismo Święte, że jedna lafirynda za cały strój miała tylko szkaplerz, że na bal wciągnięto jakąś staruszkę, która miała osiemdziesiąt sześć lat, i że upiwszy ją, kazaliśmy jej jeździć na miotle dookoła sali dwanaście razy, tak że sędziwa ta i nieszczęsna kobieta umarła w trzy godziny potem na atak sercowy, żeśmy pili spirytus, przedtem go zapaliwszy, i że smród był w sali taki, że komisarz policji, który przyszedł zaaresztować całe towarzystwo — zemdlał. Powtarzam tylko najniewinniejsze z potwarzy, reszta bowiem jest nie do powtórzenia.

Chodziliśmy, jednym słowem, w sławie jako w słońcu i wszystkie kucharki z ospowatymi pyskami pokazywały nas sobie palcami na ulicy. Miała nawet pójść do biskupa deputacja kobiet należących do towarzystwa świętej Apolonii, patronki od bólu zębów, ale zacny biskup, który oby został kardynałem, zapowiedział, że całą deputację każe zrzucić ze schodów. W żadnym jednak uczciwym domu nie mogliśmy się pokazać, co nam przyszło bez trudności, bo jak długo żyjemy, nie byliśmy nigdy w żadnym uczciwym domu; bądź co bądź jednakże bal nasz nie był bez wpływu na życie miasta, odtąd bowiem wszelkie Ksantypy mówiły do swoich Sokratesów: „Ja wiem, ty byś poszedł na bal do malarzy, ale cię przedtem dobry Pan Bóg tknie paraliżem". Dowiedzieliśmy się też poufnie, że mimo wszystkich ujadań zostaliśmy twórcami mody, albowiem bal nasz skopiowano na małą skalę na niedzielnym pobożnym zebraniu u jakiejś dewotki, która się spowiadała trzy razy na dzień. Rozebrały się baby do goła i piły jakąś nalewkę, tak że salon wyglądał jak łaźnia, ale z mężczyzn nie przyszedł nikt, stróż zaś kamieniczny, ostatnia tych łajdackich mumii nadzieja, powiedział, że ani za sto rubli. Chrząszcz się zaklął na zbawienie duszy, że bal ten odbył się pod protektoratem ciotki, panny Domiceli Kopytko.

Sława nasza była niezmierna, miłość u wszystkich uczestników balu mieliśmy niesłychaną, na życie jednakże nie mieliśmy ani grosza; ze sprzedaży kilkuset pustych butelek od piwa, które nam pozostały na pocieszenie, uzyskaliśmy wprawdzie dość poważną kwotę, długo jednakże za to żyć nie było można. Projekty mieliśmy rozmaite; ja chciałem sprzedać opis balu, ale nie było dość uczciwej gazety, która by chciała to kupić; Chrząszcz to samo namalował, ale żaden więcej złodziej nie przyszedł z trzystu rublami ukradzionymi w żydowskim banku.

— Chciałeś balu — powiadam do Chrząszcza — masz bal!

— Miło wspomnieć — powiada on na to i zaczyna ryczeć nagle ze śmiechu jak bawół, który sobie coś wesołego przypomni. Myślałem, że z głodu dostał nagłego pomieszania.

— Ty czego?

— Nic... nic... — rzecze Chrząszcz — ja tylko

sobie przypomniałem, jak tańczył Eustachy Szczygieł.

Rozpacz naszą umiliły nam jednak wizyty pobalowe naszych gości. Ach, było można umrzeć ze śmiechu! Takich figur nigdy w życiu zapomnieć nie można; przyszedł też i ów niezrównany Szczygieł, wyglądający w zwyczajnej swojej, nieuroczystej postaci tak, jakby ktoś na latarni powiesił długi surdut i takie spodnie, że jaki taki nieboszczyk wierzgać by począł, gdyby go w nie ubrano. Przyszedł, nic nie powiedział, usiadł i czeka. My także nic, czekamy, aż gość zacznie. Mija wreszcie pięć minut, aż Szczygieł rzekł:

— Jestem Szczygieł...

— Bardzo nam przyjemnie.

Mija znowu pięć minut, aż on bardzo smutnym głosem powiada:

— Bardzo ładny bal...

— Bardzo ładny.

Bogdajeś skonał! Znowu nic nie gada, tylko cichutko jęknął jak zranione ptaszę. Wreszcie pyta:

— Kiedy znowu?

— Co znowu?

— Bal!

— Już nie będzie.

— To źle!

— Tak, to bardzo źle...

Szczygieł opuścił głowę na piersi i westchnął z głębi brzucha, którego miał jakie takie ślady. Potem znowu mówi:

— Czy już można?
— Co, czy można?
— Pójść...
— Można.
— Moje uszanowanie.

Spojrzał w sufit, westchnął niezmiernie smutno i poszedł. Bardziej stylowego człowieka nie widziałem w moim życiu; znajomi jego opowiadali, że wewnątrz jest on zupełnie obłąkanie wesoły, melancholijny jest tylko na fizjognomii, to niby tak, jakbyś cyrk postawił na środku cmentarza. Ale mnie się zdaje, że tak wesołym, jak Eustachy Szczygieł, „do środka", może być tylko nieboszczyk, którego on swoją drogą bardzo żywo przypomina; ten człowiek z taką twarzą mógłby robić majątek, trzeba tylko, żeby stanął na rogu ulicy albo pod katedrą i mówił: „Dobrodzieje! ojciec i matka dzisiaj mi umarli, ja sam wyszedłem ze szpitala!" Najgorszy rzezimieszek musiałby mu uwierzyć i dziwiłby się tylko, że ten smutek jest rozlany na obliczu Szczygła jedynie z powodu ojca i matki, bo wyglądał przesadnie i czynił wrażenie, że ten człowiek cierpi za wszystkich, którzy już umarli i jeszcze umrą aż do skończenia świata.

Bardzośmy polubili tego człowieka, a on nas, i odwiedzał nas dość często, choć nie gadaliśmy zwykle do siebie ani słowa. Czasem, ale to bardzo rzadko, kiedyśmy sobie z Chrząszczem opowiadali wesołe rzeczy, a on był przy tym, w pół godziny potem Szczygieł robił coś z gębą, wykrzywiał ją na moment tak, jakby miał skonać zadławiwszy się ością, i wydawał dziwny jęk, niemożliwy do powtórzenia. Po wielkich trudach słychać było w tym rzężeniu coś jak kwilenie jastrzębia, coś jak ryk hipopotama i wreszcie dość wyraźnie:

— Ha! ha!

Zrywaliśmy się na równe nogi.

— Szczygieł, co panu jest?

On znów się uczynił śmiertelnie smutnym i rzekł:

— Wesoło!

— Boże miłosierny! Żebym się miał w ten sposób weselić, to bym się tego jeszcze dnia powiesił. Ale Szczygieł był dobry chłop i zaczął malować mój portret, który był znakomity poza tą drobnostką, że rozradowana zazwyczaj moja twarz przybrała na tym portrecie wyraz trupa w trzecim stadium rozkładu, trupa, który wyje z nudów, którego nie chcą przyjąć ani w niebie, ani w piekle, najnieszczęśliwszego trupa, jakiego kiedykolwiek w życiu widziałem. Chrząszcz, który się byle czego nie bał, nie chciał spać w pokoju, w którym wisiał ten portret. Szczygieł jednak był zadowolony i mówiąc przez trzy tygodnie, wypowiedział wreszcie, że tak znacząco uśmiechniętej twarzy nie namalował w życiu swoim i że mnie to zawdzięcza, gdyż ja bardzo rozweselająco na niego działam.

Szczygieł też był nędzarz pierwszej klasy i do tego miał podobno kochankę, do której w życiu słowa nie powiedział. Wesoły człowiek, co? Wesoły, ten Szczygieł.

Zima przychodziła już mocna, mróz się do nas sprowadził i nie mając niczego lepszego do roboty, liczył nam palce u rąk, tak że się ich nie czuło. Czasem zacny Szczygieł przyniósł nam w podarunku wyrwaną z jakiegoś parkanu deskę na paliwo, czasem Chrząszcz, który był mocny, przydźwigał jakąś pakę. Myć się było dość trudno, bo rano w miednicy zamiast wody była ślizgawka, a szron się lśnił na ścianach naszego salonu jak w stalaktytowej grocie. Dość ciężko było takim bujnym jako my naturom pędzić żywot w lodowych więzach, tym cięższej, że mózg człowiekowi zamarzał. Grzały nas jedynie ciepłe balowe wspomnienia, bo jużeśmy dawno przestali żałować, żeśmy tak wielką przetrwonili fortunę, ani też na chwilę nie traciliśmy fantazji wierząc mocno, że nam Pan Bóg zginąć nie da. Zauważyliśmy z rozczuleniem, że głęboka wiara w Opatrzność nigdy nikomu na złe nie wyszła i niezmiernie gorąco trzeba wierzyć w łaskawość losu, zważywszy, że człowiek, który oślepł na jedno oko, mógł równie dobrze oślepnąć na drugie. Myśmy wprawdzie nie oślepli, ale gdyby mi w tej chwili dano do zjedzenia indyka, przysiągam, żebym nie umiał go zjeść, bo w ogóle już wyszedłem z wprawy. Menu nasze obiadowe w jednej z pierwszych restauracyj miasta, gdzie nam, Bóg wiedzieć raczy dlaczego, udzielano kredytu, składało się z talerza ciepłej wody, pachnącej ścierką do zmywania talerzy, na wodzie zaś tej, jak złote medale za waleczność jedzącego, pływały trzy albo cztery łojowe oka.

Drugie danie stanowił stary kalosz, nazwany ku jego własnemu zdumieniu *boeuf à la mode*, pływający w sosie przyprawionym przez trzy czarownice z *Makbeta*, w sosie ciągnącym się tragicznie jak życie, kleistym jak małżeństwo, żółtym jak zawiść, zawiesistym jak żydowski chałat. Deseru nie używaliśmy, uważając go za wymysł arystokracji. Nie było tedy rzeczą zbyt dziwną, żeśmy obaj z Chrząszczem przybrali z czasem na fizjognomiach kolory tego właśnie sosu i że oczy nam się zapadły nieco w głąb, jak gdyby nie były ciekawe spraw tego świata. Drżeliśmy jedynie na myśl, co to będzie, jeśli właścicielka tej pierwszorzędnej restauracji, baba swoją drogą dobra i słabość mająca do wszelkiego rodzaju artystycznej hołoty, jednego dnia odmówi nam kredytu? Dotąd utrzymywaliśmy ją w sympatii dla siebie komplementami na temat jej młodości i wyglądu, trzeba zaś wiedzieć, że był to dziwny stwór ludzki, który mógłby być żoną słonia, a słoń byłby dla niej jeszcze za przystojny. Niewiasta ta wysłuchawszy słodkich naszych słów kończyła zawsze jednako:

— Nie gadaj pan dużo, żryj pan obiad i róbcie miejsce, bo insze czekają!

Niech cię, zacna matrono, anioły kiedyś na rękach poniosą do nieba!

Sjesty popołudniowe odbywaliśmy w domu, gdzie o tym czasie zaglądało słońce, więc nam się w jego blasku na jaką godzinę rozgrzewały dusze. Chrząszcz malował szybko korzystając z bezpłatnego ciepła, ja zaś wywierałem zemstę na życiu pisaniem bohaterskich oktaw; w apartamencie panowało milczenie, słychać było tylko czasem tupanie gwałtowne nóg Chrząszcza, który jakby walczył z obrazem i ciskał się to w przód, to w tył, jak szermierz z długim pędzlem w ręku.

W tej chwili ktoś zapukał nieśmiało. Chrząszcz rozumiejąc, że to Szczygieł przychodzi z wizytą, krzyknął nie odstępując od sztalug:

— Nie pukaj, ścierwo jedno, tylko właź do salonu!

Drzwi, nigdy nie zamknięte na klucz, otworzyły się cichutko i we drzwiach, z których buchnęła zimna chmura, ukazały się dwie czarne niewieście postacie.

Spojrzał Chrząszcz, spojrzałem ja i zdumienie odebrało nam mowę. Miałem tyle przytomności, że cisnąłem mimochodem na Chrząszcza spojrzenie, od którego zapewne siniec mu pozostał na gębie, za to niechlujne: „ścierwo jedno!", które wchodzące niewiasty musiały słyszeć. Szymon się zarumienił, opuścił paletę i począł się cofać, chcąc się widocznie schować za mnie. Obie panie podeszły bliżej.

Jedna była stara, i to mocno, z dyluwialnej epoki, z gębą, około której mniej chodził Stwórca, więcej za to taki rękodzielnik, co to wyprawia skórę na pergamin i rękawiczki. W srogiej była żałobie, toteż twarz jej, przypominająca wątrobę nie twarz, miała przez kontrasty żółtość na sobie tym wybitniejszą. Faktem jest, że w każdej ludzkiej twarzy tkwi zawsze jakieś podobieństwo do fizjognomii ze świata zwierzęcego: twarzy małpich jest najwięcej, poza tym istnieje wśród galerii gąb ludzkich niesłychana w tych podobieństwach rozmaitość. Twarz tej starej pani przypominała fizjognomię amerykańskiego kondora, który jest czegoś niesłychanie zmartwiony i ma nerwowy ruch, polegający na ustawicznym wydłużaniu i kurczeniu szyi, jakby całe życie nie mógł czegoś przełknąć i wciąż jakby się z lekka dławił. Wszystkie możliwe grzechy: główne, poboczne, śmiertelne, przeciw Duchowi Świętemu, przeciw Kościołowi, jednym słowem cały kodeks niebieski, zebrane były na tej twarzy i splotły się na niej w spojrzeniu, przed którym zadrżałby Belzebub. Z tego wszystkiego, jak cieniutka struga brudnej wody sączy się przez jakąś wyrwę w rynsztoku, wyciekał uśmiech tak miły, taki serdeczny i taki szczery, że się człowiekowi, na którego głowę spłynął przypadkiem ten promień uśmiechniętej łaski, czyniło niedobrze.

Spod czarnego, wyrudziałego kapelusza, który jakąś kitą pierza, przypominającego wyparszywiały ogon żydowskiego konia, machnął już dawno rozpaczliwie nad swoim żywotem i chwiał się na tej dziwnej głowie konającymi ruchami, wymykały się kosmyki siwych włosków, które śnieg zmoczył i tajał na nich szybko, jakby w ten przynajmniej sposób chciał ocalić dziewiczą swoją białość. Kapelusz wraz z tym wspaniałym piórem tworzył wykrzyknik, znak zdumienia, zachwytu, rozpaczy, zgrozy, oburzenia, wstydu, trwogi i nieludzkiego bólu nad zdaniem, którego treścią była cała postać owej damy; jeśli kapelusz był wykrzyknikiem, to dama jako zdanie była zdaniem suchym, jałowym, treściwym, ale zdaniem dantejskim, piekielnym, niesamowitym, wypowiedzianym przez jakiegoś diabła stylistę, była aforyzmem o życiu, ale aforyzmem niechlujnym, plugawym i bezbożnym. Przy wysiłku fantazji można było ten dziwaczny stwór niewieści przyrównać do wielkiej brodawki, do nadgniłego grzyba, do czego kto chce zresztą. Podziw budziły w tym okazie z panoramy woskowych figur jedynie oczy, które dosłownie pracowały, role między siebie podzieliwszy; kiedy prawe uśmiechało się do człowieka, z którym rozmawiała jego pani, wtedy lewe, puszczone samopas jako ogar ze smyczy, goniło po przestrzeni, zaglądało wszędzie i widziało wszystko: liczyło obrazy, dojrzało dziurawy but pod łóżkiem, stary kapelusz na szafie, dwa gwoździe wbite w ścianę, wrony za oknem, otwarty list na stole, tytuły książek. Potem lewe uśmiechało się odpoczywając, a prawe gnało na szpiegowskie wywiady i zauważyło ze swojej strony, co było do zauważenia. To były najznakomitsze, rzec można, oczy, jakieśmy kiedykolwiek oglądali. Można było być przekonanym, że takie złodziejskie oko, wyłupione i rzucone na podłogę, porwie się w tej samej chwili, potoczy i wlezie w kalosz zobaczyć, czy tam w nim czego nie ma. Miały one, zdaje się, również własność patrzenia w tył, poza siebie, jednym słowem renomowana, trzydzieści sześć razy pławiona czarownica ze średnich wieków nie miała tak wyborowego garnituru oczu.

Toteż nieludzkie było nasze zdumienie, kiedyśmy spojrzeli na drugą postać niewieścią, stojącą skromnie przy drzwiach; jeśli prawdą jest, że stare wiedźmy cygańskie porywają książęce dzieci, to w takim razie ta czarna wdowa po jakimś kulawym szatanie porwała gdzieś po drodze młodego anioła i przyprowadziła go do naszej pracowni. Była to młoda panienka, również w żałobie, i wyglądała w niej jak przejasny obrazek w czarnych ramach; twarzyczkę miała tak ślicznie bladą i takie przeczyste spojrzenie, żeśmy się bali patrzeć na nią dłużej, aby tej twarzy anielskiej nie poplamić natarczywym wzrokiem. Patrzyliśmy więc w zachwycie, ona zaś zakryła powiekami oczy, a nam się nagle zdało, że słońce zaszło za chmurę i ciemno się uczyniło na świecie. Włosy miała czarne, puszyste, pewnie bardzo miękkie i pewnie bardzo pachnące; postać była wysmukła, nieco szczupła, z białości zaś marmurowej skrawka odsłoniętego szyi można sobie było wyśpiewać Salomonowy poemat o przedziwnej, zimnej białości jej ciała, podobnej białości śniegów na szczytach gór, zaróżowionego od słońca, które się w jej omotało włosy.

Nie przywykliśmy zbytnio do odwiedzin niewieścich, ta wizyta jednakże aż nas pognębiła. Z tą starą wiedźmą dalibyśmy sobie rady, bo i Chrząszcz miał gębę jak cholewę, i ja, dzięki Panu Bogu, też byłem odpowiednio pyskaty. Opadła nas obu jednakże jakaś zimna trwoga na widok tej ślicznej dziewczyny; żaden z nas w całym swym bujnym życiu nie gadał z taką i czuliśmy, że żaden i teraz mówić z nią nie potrafi. Ja byłem wprawdzie lepszy od Chrząszcza stylista, ale moją wymowę ułapiła za połę obawa o styl Chrząszcza, który miał w paszczy zazwyczaj całą menażerię i przy każdym otwarciu ust sypał z niej diabłami, cholerami, psiakrwiami i innym takim paskudztwem. Spojrzałem na Szymona i widzę, że kompletnie zbaraniał; zrobił się na pysku czerwony, jakby to był pierwszy maja, i nic, tylko ciągle się kłania, szurga nogami i za pomocą niesłychanie skombinowanych ruchów rąk daje do poznania starej wiedźmie, aby usiadła. W ten sam wytworny sposób prosi w cyrku niedźwiedź żyrafę, aby usiadła na taburecie.

Stara niewiasta udała się zaś w sam raz dla Chrząszcza; uśmiechnęła się prawym okiem, lewym poszukała krzesła, i w dziwnych podrygach, stanowczo przypominających koźle karesy na Łysej Górze, podeszła ku niemu. Wtedyśmy obaj porwali drugie krzesło i podali panience, która nam podziękowała spojrzeniem takim, że rzucenie się z szóstego piętra dla zdobycia takiego spojrzenia byłoby niewartą wzmianki drobnostką. Potem pytającym wzrokiem spojrzała na starą kuzynkę diabła, mleczną siostrę Belzebuba, ta zaś rzekła głosem, któregośmy się najmniej spodziewali, bo jakimś dziwnym basem, używanym tylko na pogrzebach:

— Siadaj, Andziulko! Panowie artyści są bardzo uprzejmi...

Spojrzałem na Chrząszcza, on zaś na mnie, i powiedzieliśmy sobie oczyma: Andziulka!

Anioł usiadł skromnie na brzegu stołka, my zaś jak dwa barany, które się zbiły w „gromadę", staliśmy na uboczu.

— Ale i panowie niech usiądą — rzekła ciotka kozła, a babka krokodyla.

Usiedliśmy tedy, jeden na łóżku, drugi na jakimś kuferku, a że trzeba było coś powiedzieć, tedy ja się odezwałem nieśmiało:

— Panie się zmęczyły naszym szóstym piętrem...

Chrząszcz spojrzał na mnie z nie udanym podziwem, olśniony moim towarzyskim talentem, odwagą i niezmierną swadą.

— Zawsze to człowiek tak wysoko, to bliżej Boga — rzecze sentencjonalnie matka chrzestna wilkołaka swoim nieprzyzwoitym basem — ja się nie zmęczyłam, a ty, Andziulko?

— Także nie, mamusiu!

Sto najmniej piorunów padło na nasze biedne głowy i mózg nam na chwilę zdrętwiał w czaszkach. Jak to?! Ten katafalk, ten dom przedpogrzebowy, ten epidemiczny szpital, to pudło, ten wielbłąd na dwóch nogach, przez jakąś pomyłkę Pana Boga — jest matką tej panienki? Jak to może być, żeby z takiego plugawego gniazda wyleciał rajski ptak? Czy przystoi

Panu Bogu takie wyprawiać kawały?! Toteż spojrzeliśmy niemal z bezgraniczną litością na Andziulkę, ja zaś po chwili czym prędzej spojrzałem na Chrząszcza, bo znając jego niepohamowanie porywczy charakter, zatrwożyłem się, że ten człowiek udusi na miejscu tę starą damę za to samo, że śmie być matką istoty niebiańskiej, która zleciała do naszej pracowni jak zabłąkany w powietrzu anioł. Ujrzałem jednak, że cios nawet dla Chrząszcza był za silny i że cokowiek osłabł biedny Szymon.

Nie wiem już które, lewe czy prawe oko starszej damy wyśledziło nasze zmieszanie, bo dama rozpoczęła szczegółową prezentację.

— Ja jestem Amelia Kalicka, a to moja jedyna córka, Andzia, nieszczęśliwa sierota.

Boże drogi! wiedzieliśmy już z tej czerni w ubraniu, że ktoś w tej rodzinie umarł, ale to „nieszczęśliwa sierota" zakryło nam świat czarnym oparem. Biedne dziecko!

Trzeba się jednak było i nam przedstawić, ja więc skłoniłem się najuprzejmiej i powiedziałem swoje nazwisko dając równocześnie znak Chrząszczowi, aby to samo uczynił. Mówił mi potem, że będąc pod wrażeniem słów o „nieszczęśliwej sierocie", chciał w pierwszej chwili powiedzieć: „Jestem Chrząszcz, nieszczęśliwy malarz", ale uważał, że to może nie wypada, więc powiedział tylko:

— Jestem Szymon Chrząszcz!

— Och! — odrzekła stara dama, a w jej głosie było w tej chwili coś takiego, co przypominało zepsuty organ — och, my wiemy dobrze, kto pan jest! Nieprawdaż, Andziulko?

— Tak, mamusiu — zabrzmiał głos jak najcudowniejszej fletni — sławni ludzie ukryć się nigdy nie mogą.

Chrząszcz uczynił w tej chwili skromną twarz i wyglądał z tym jak niedźwiedź, któremu ktoś powiedział, że jest tak piękny, jak rajski ptak. Stara dama, dla której ze względu na jej córkę, nie z tego będącą świata, ubliżających nie wyszukuję już epitetów, spojrzała lewym okiem na mnie, prawym zaś równocześnie na Chrząszcza, który siedział po przeciwnej stronie, i mówiła poważnie jak hrabina, która ma skonać za pięć minut. Ponieważ dialog prowadzony był z Chrząszczem, przeto ja miałem czas na dokładniejsze obserwacje i zauważyłem, że stara dama ma dolną szczękę wysuniętą tak, że koniec jej nosa wisiał nad otchłanią, a górna warga, z rzadka szczecinowatym ustrojona włosem, cofnęła się przezornie w tył; śliczna panienka patrzyła wciąż w ziemię i tylko z rzadka spojrzała na Chrząszcza lub na mnie, i wtedy zauważyłem, że oczy ma jakby załzawione i że do jej twarzy przyrósł jakiś leciuchny puch melancholii, który twarz tę dziwnie subtelnie ocieniał. Ubrana była szykownie, nawet bogato, kiedy zaś rozpięła futro, wionął na nas zapach jakiś rajski. Gdyby ta dziewczynka nie miała w oczach słodyczy i gdyby nie wyglądała jak księżniczka w niewoli będąca u smoka, można by rzec, że był to zapach grzechu, wiadomo bowiem, że żaden kwiat tak nie pachnie, jak grzech. Nie godziło się jednakże nawet w myśli czynić takich porównań, które sączy z siebie znieprawiony mózg literacki.

Rozmyślania przerwał mi zagrobowy głos starszej damy, przypominający teraz znów syrenę nadgniłego parowca, który wozi śledzie. Porównanie jest nieco skombinowane, tak jednak było. Głos ten dudnił na temat:

— Sławny pan jest malarz, o, bardzo sławny. Ja może byłabym tego nie wiedziała, bo gdzie mnie do obrazów, ale Andziulka dopiero oczy mi otworzyła. Pokazywała mi pańskie obrazy na wystawie i mówi: „Patrz, mamusiu, to jest geniusz!" Mógłby pan jednak co zrobić, aby takich wysokich wstępów nie brali za wejście.

— Jutro zaraz powiem! — mówi Chrząszcz groźnie i wygraża kułakiem za okno.

— Ale już potem, widzi pan, nie żałowałam, gdym zobaczyła pańskie obrazy...

— Kicze, pani dobrodziejko — mówi Szymon.

— Jak pan mówi? he?

— Kicze, to znaczy obrazy dobre dla zdechłego psa na pogrzeb.

Daję w tej chwili Chrząszczowi znaki, że jest typowym kretynem, dobrym do towarzystwa w kryminale, co Szymon sam spostrzega i zarumieniwszy się mówi do panny Andzi:

— Bardzo przepraszam, ale ja nie umiem mówić. Niech się pani nie gniewa.

Śliczne stworzenie spojrzało na niego jak ptak i szepce:

— Niech Pan Bóg broni! Pan ślicznie mówi. Trzeba mieć zwyczajne złodziejskie szczęście, żeby coś podobnego z takich usłyszeć ust. Wyraźnie złodziejskie szczęście; Chrząszcz całe życie dobry był do konwersacji ze stróżem i z gorszego gatunku dorożkarzem, ja napisałem dziesięć książek i dotąd mi nigdy nikt niczego podobnego nie powiedział. Chrząszcz się zarumienił jak panna i nie wiedział, co z sobą zrobić; czułem, że zrobi coś nieoczekiwanego, więc albo szczupakiem rzuci się z radości przez okno z szóstego piętra na bruk i roztłucze głową parę płyt kamiennych, zawaliwszy po drodze ze trzy balkony, albo rzuci się na to śliczne biedactwo i zacznie ją całować. Walczył przez chwilę z sobą, uderzył się potem ręką w czoło, chwilę myślał i powiedział, na co się tylko mógł zdobyć najlepszego:

— Czyste wariactwo, jak Pana Boga kocham!...

Było to wyrażenie dość nieokreślone i nie wiadomo było właściwie, kto zdaniem tego idioty zwariował, nie było jednak czasu na bliższe deliberacje, gdyż głuchy grzmot zawarczał znowu z gardzieli starszej damy.

— Panie Chrząszcz — mówiła z wielką powagą, dobrą na Sąd Ostateczny — pan, jak widzę, nie tylko jest sławnym malarzem, ale przy tym człowiekiem szczerego serca. Toteż myślę, żeśmy dobrze trafiły, nieprawdaż Andziulko?

— Z pewnością, mamusiu!

Gdzie one miały trafić i po co? Chrząszcz wybałuszył oczy, ja nadstawiłem uszu.

— Panie Chrząszcz!

— Słucham szanownej pani...

— Widzi pan, że ja i moja córka jesteśmy w grubej żałobie?

Zrobiliśmy obaj jak na komendę *maître'a* od pogrzebu miny wprost z katafalku; Chrząszcz omalże się nie rozpłakał.

— Ja ją noszę po mężu, a ta sierota po ojcu. Był to wprawdzie jej ojczym, ale ona go kochała jak ojca, a on ją jak córkę. Czy nieprawda, Andziulko?

Cudownej dziewczynie oczy nabiegły łzami i spojrzały w niebo, gdzie zapewne siedział na obłoku ten umarły ojczym i cieszył się w sercu, że został ktoś na ziemi taki śliczny, co go żałuje. Równocześnie usłyszeliśmy cichą odpowiedź:

— Tak, mamusiu!

Ciotka strusia zrobiła w tym miejscu artystyczną pauzę, jaką czyni aktor na scenie, dowiedziawszy się, że bohaterka sztuki zwariowała z żalu za mężem i że jej już nic nie pomoże, potem uderzywszy kilka razy górną szczęką w dolną, źle do niej dopasowaną, rzekła bardzo smutno:

— Sześć dni tylko chorował biedaczysko i z własnej winy umarł. Zdrów był jak ryba i wszystkich nas mógł przetrzymać, cóż kiedy był lekkomyślny. Mówiłam mu: „Nie pij po wieprzowinie zimnego piwa", a on nic, tylko dziewięć szklanek jedna po drugiej. Koń byłby tego nie wytrzymał, cóż dopiero człowiek...

— I z tego umarł? — pytam zdumiony nie przypuszczając, żeby kto mógł umrzeć od dziewięciu szklanek zimnego piwa. Chrząszcz, stary w tych sprawach praktyk, miał również minę lekko zdumioną.

— Z tego i nie z tego — odpowiada dama z epoki kamiennej — ale tak się zaczęło. Wziął na przeczyszczenie i byłoby wszystko dobrze, ale z mężczyzną nie poradzi. W dwa dni potem założył się z przyjacielem, któremu Matka Boska tego nie przebaczy, że duszkiem wypije litr okowity...

— O, o, o! — wykrzyknął Chrząszcz tak przejęty tym zakładem, jakby go sam miał wygrać.

Stara papuga sądząc, że mój przyjaciel wyraża w ten sposób swoje oburzenie nad bezmyślnością tej pijackiej entrepryzy, spojrzała na niego z wdzięcznością.

— Słyszał pan, litr spirytusu!

— I wypił? — pyta zachłannie Szymon.

— Co nie miał wypić, wypił.

— No, no! — mruczy mój przyjaciel z uznaniem

— Wypił duszkiem i zdawało się, że znowu nic. Ale potem, to się w nim wódka zapaliła...

— Jak to, zapaliła się?

— Tak się to mówi. Coś się w nim zrobiło takiego, że zaczął konać, zamiast żeby skonał ten jego przyjaciel! Tacy to są przyjaciele na świecie, tacy przyjaciele! No i umarł, biedaczysko, na naszych rękach...

Zrobiło się na chwilę bardzo cicho, bo zdawało się nam, że dusza tego nieszczęśliwego człowieka krąży wśród nas, dopiero po chwili zapytał Chrząszcz dziwnie ponuro:

— Czy nieboszczyk miał lekką śmierć?

— Wieczne odpoczywanie — odrzekła matrona — dość lekką.

— I ja tak myślę — rzekł Chrząszcz zamyślony.

W tej chwili niewiasta otworzyła torebkę, która kiedyś była ze skóry, teraz zaś wyłaziły z niej ceratowe wnętrzności; tak, a nie inaczej musiała wyglądać puszka Pandory. Pochyliła się nad jej wnętrzem i wpuściła w nie jedno oko jak sondę, nie przestając za pomocą dziwnego kunsztu ani na chwilę obserwować mnie i Szymona. My zaś wciąż patrzyliśmy z nabożeństwem na Andziulkę, która zaskrzepła w bólu wspomnień, z czym jej było niesłychanie ładnie. Na oczach łzy jej jeszcze nie obeschły i nieco przybladła ze wzruszenia; jakiś zabłąkany promień słońca, który nigdy nie zaglądał do plugawego naszego atrium, teraz jakby zwabiony zjawieniem się w nim rajskiego ptaka, który się rodzi gdzieś na słońcu, zajrzał przez okno i padł na jej właśnie twarz. Widzieliśmy wiele kobiecych twarzy, lecz nigdy dotąd nie spotkały grzeszne nasze oczy twarzy z wyrazem takiej przejasnej światłości. Promień wodził się jakby z lubością po tej twarzy i zdawało się, że szukał ust. Spojrzałem na Chrząszcza i zdumiałem się serdecznie: ten człowiek, który nigdy się nie modlił, modlił się w tej chwili; miał wprawdzie przy tym minę fałszowanego paralityka, który się modli pod drzwiami kościoła, ale modli się naprawdę, bo nie spuszczając z niej oczu jak ze świętego obrazka, szeptał coś sam do siebie i od czasu do czasu składał ręce. To był jakiś hymn olśnionego wspaniałym widokiem niedźwiedzia. Zdumiało mnie i to także, że Chrząszcz, który z fachu i z przyzwyczajenia zwykł był podziwiać kobietę raczej od dołu, badając, czy z jej golizny można by cokolwiek przenieść na obraz, teraz gwałt własnej zadając naturze nie śmiał spojrzeć na końce jej palców i patrzył oczarowany w jej twarz, naprawdę czarującą.

Zachwyty nasze przerwało głuche dudnienie wychodzące z gardła starej matrony. Znalazła ona wreszcie w swoim *bric à brac*'u to, czego szukała, bo podając Chrząszczowi gabinetową fotografię rzekła:

— Z tym przyszłam do pana, to pana zainteresuje.

Ja wyciągnąłem ciekawie szyję, Chrząszcz zaś wziął fotografię ostrożnie w ręce, długo się jej przypatrywał i gwałtownie pochmurniał.

— Kto to jest? — zapytał wreszcie.

— Właśnie on, nieszczęśliwy nieboszczyk.

Podszedłem, zainteresowany mocno poprzednią opowieścią, chcąc ujrzeć bohatera, jakich już mało jest dzisiaj na sparszywiałym, gnuśnym świecie, niezdolnym do mądrych szaleństw. Z fotografii spojrzał na mnie człowiek nie człowiek, byk nie byk, ale coś między tym pośredniego; morda pierwszej klasy, opasła i obrzękła, która — zdawało się — ryknie za chwilę zadowolonym rykiem wściekłego buhaja; gentleman na fotografii przybrany był w długi tużurek z ogromną wiązką kwiatu pomarańczowego w klapie, krawat miał biały z ogromnym, długim koralem w środku, na brzuchu łańcuch, pewnie złoty i taki, którym by można uwiązywać krowy u żłobu, na prawej ręce, wdzięcznie opartej o poręcz fotela, miał na każdym palcu po trzy pierścionki, włosy z rozdziałem na boku zakręcały się nisko na czole we flores, bardzo wdzięczny i wymowny. Kiedym patrzył na tę miłą twarz, przyszło mi na myśl, że ten człowiek nie mógł skończyć od jednego litra spirytusu, to był bowiem dla niego naparstek.

Starsza dama rzekła:

— To jest jego ślubna fotografia...

— To zaraz widać — odrzekłem, do tej pewności bowiem upoważniał mnie ów kwiat pomarańczowy w klapie surduta, chociaż stryczek związany w niej w formie wstążeczki orderowej byłby mnie mniej zdziwił. Trzymałem jednak fotografię w palcach z dziwną trwogą; kiedy poznałem już obu rodzicieli anielskiej panienki, uczyniło mi się jej żal jeszcze więcej. Skąd do tej wiedźmy i do tego obwiesia przyszedł ten rajski ptak, ta niewinność sama i sama czystość? Wiedząc jednak, że kochała tego kryminalistę ojczyma jak ojca, bo to ciche, dobre serce zdolne jest tylko do miłości, chciałem jej zrobić przyjemność. Obawiałem się też przez chwilę, aby mnie ten straszliwy gość z fotografii z nagła nie uderzył nożem, bo taką miał minę. Rzekłem tedy trochę niepewnie:

— Wspaniały mężczyzna i bardzo przystojny...

— O, tak, to był prześliczny człowiek — rzekła babka wszystkich mumii — na ulicy się za nim oglądali...

Jeśli policjant, to i dobrze — pomyślałem i powiedziałem to w tej chwili oczyma Chrząszczowi, który nieco tępy z urodzenia, rozmyślał gwałtownie, po co mu ta czarownica pokazuje konterfekt tego Barabasza i po co go właściwie przyniosła? Cel został wyjaśniony natychmiast.

— Otóż, widzi pan — rzekła stara dama — fotografia jako pamiątka, to jest mało. Radziłyśmy nad tym długo z Andziulką i ona mi poradziła, aby pójść do pana.

— Aha!... — rzekł Szymon dziwnym głosem.

— Przyszłyśmy więc pana prosić, abyś pan z tej fotografii zrobił portret. Naturalnej wielkości... Czy to tak mówiłaś, Andziulko?

— Tak, mamusiu!

Chrząszcz słuchał bardzo blady, ja zaś, przerażony tym obstalunkiem, cofałem się ostrożnie za stalugi, w słusznym przypuszczeniu, że mogę być świadkiem w sądzie, czego nie lubię, kiedy Chrząszcz jednym uderzeniem pięści rozwali czerep tej staruszce tak, że zjełczały jej mózg tryśnie aż na powałę. Ona zaś mówiła:

— Ja panu chcę dać tę fotografię i prosić o portret, tylko żeby był niedrogi. Pogrzeb tyle kosztował, że aż strach. Ale coś niecoś bardzo chętnie zapłacę. Jakżeż będzie?

Chrząszcz nic nie odpowiedział, lecz patrzył tak dziwnie, jakby się przygotowywał metodycznie do nagłego pomieszania zmysłów. I wtedy najniespodziewaniej usłyszeliśmy głos panny Andziulki, która dotąd dziwnie nieśmiało odpowiadała jedynie twierdząco na zapytania straszliwej swojej matki.

— Ja wiem, że z fotografii portretów się nie robi, ale trudno, kiedy modela nie ma. Panie mistrzu! Niech pan uczyni wyjątek, tak nam na tym zależy; lepszego niż pan malarza, moim zdaniem, nie ma w naszym kraju, więc dlatego tak bardzo pragnęłybyśmy mieć portret pańskiego pędzla. Niech się pan zgodzi, ja pana bardzo, bardzo proszę...

W miarę tych słów Chrząszcz się podnosił z siedzenia i chwiał się na nogach; widziałem najwyraźniej, że na czoło wyszły mu krople potu. Nie patrząc na nikogo podszedł ku słodkiej tej panience i odważył się na coś, co było u niego bohaterstwem: pocałował ją w rękę. Pocałunek ten przypomniał mi wprawdzie żywo trzask z bata, kiedy dorożkarz się upił, a koń oszalał, niemniej jednak podziw mój był bezgraniczny.

— Ja zrobię ten portret... — rzekł ciężko dysząc.

— Wiedziałam, że pan jest przezacny — powiedziała Andziulka cichutko.

— Ale pod jednym warunkiem — mówił dalej Szymon.

— Tylko niech pan pamięta, że jesteśmy ubogie — wtrąciła z hukiem lawiny stara dama.

Chrząszcz spojrzał na nią jak pogromca na tygrysa i mówił z wielką powagą:

— Żadnych pieniędzy nie potrzebuję, bo jestem zamożny, ale mam ten warunek, żeby mi było wolno zrobić także portret pani.

Odetchnął ciężko jak człowiek, który na szczyt góry wytoczył skałę, i patrzył bardzo niespokojny, co mu na to odpowiedzą. To zresztą było w istocie ciekawe, można bowiem dać malować jegomościa, który przez pomyłkę zmarł naturalną śmiercią, albowiem najlepszy portret i najlepsze kadzidło nigdy umarłemu nie pomogą, inna rzecz jest z osobą żywą, piękną, najwidoczniej bardzo skromną i czystą. Prawdziwie niewinna kobieta wstydzi się siebie samej, kiedy w wodzie ujrzy odbicie swego ciała. Ten aforyzm musi pochodzić ze źródeł przedhistorycznych, bo w historycznych czasach co prawda nie było takiego wypadku, niemniej jednak kobieta ma swoje przesądy. O Andziulce można było być pewnym, że jest to jeszcze dziecko, które patrzy na świat przez wszystko cudnie ukazującą czerwoną szybkę serca, i że się na portret nie zgodzi. Gdybym był, co nie daj Panie Boże, niewinną panienką i gdyby mi Chrząszcz zaproponował pozowanie, raczej bym umarł ze strachu, spojrzawszy tylko na tego zacnego malarza, który więcej podobny był do jaskiniowego niedźwiedzia niż do Rafaela, niżbym mu się dał malować.

Andziulka — (o aniołach nie mówi się „panna", niech mi tedy będzie wolno tak cię nazywać, Andziulko!) — spojrzała na Chrząszcza i patrzyła na niego dłuższą chwilę, podczas której wszystko w nim zamarło.

— Dobrze! — rzekła — ale i ja mam warunek...

— Jaki, jaki? — rzęził Szymon.

— Że... że... tylko twarz!

— Naturalnie! — huknęła mama jak stary klawikord za pociśnięciem pedału.

Chrząszcz mrugał przez chwilę oczyma jak człowiek, który nie od razu może zrozumieć, o co rzecz idzie, pojąwszy zaś wreszcie, że w ten sposób może mówić tylko dziecko, że takie warunki tyczące się portreru stawiać może najczystsza dusza, chciał jej w pierwszej chwili upaść do nóg, co to biedactwo kochane musiało zauważyć, bo się cofnęło o krok i nakryło oczy rzęsami; nie mogła jednak nie zauważyć, że Chrząszcz na jej temat zwariował i że mu potrzeba było ostatecznego wysiłku woli, aby nie zrobił jakiegoś kapitalnego głupstwa.

Układ przyszedł do skutku i stanęło na tym, że portret tego orangutana z koralem w krawatce będzie Chrząszcz malował przez czas nie ograniczony, portret zaś Andziulki rozpocznie już za dwa dni. Chciał zaczynać zaraz nazajutrz, przeciwko czemu ja zaoponowałem, słusznie kalkulując, że aby malować w naszej pracowni portret, trzeba w niej zapalić, że aby zapalić, trzeba mieć drzewo, aby mieć drzewo, trzeba mieć pieniądze, aby mieć pieniądze, trzeba je pożyczyć, aby pożyczyć, potrzeba mieć przynajmniej jeden dzień czasu. Rzecz prosta, że kalkulację tę przeprowadziłem w mózgu błyskawicznie jednym zwartym rzutem myśli: trzeba pożyczyć! — tępemu czytelnikowi należy jednakże sprawę tę przedstawić poglądowo.

Andziulka miała tedy być u nas pojutrze; teraz obie panie żegnały się z nami, to jest z Chrząszczem, bardzo serdecznie, mnie zaś pożegnała siostra szakala kiwnięciem wyrudziałego pierza na kapeluszu, Andziulka zaś podała mi rękę dziwnie nieśmiało i dziwnie sztywno, nie spojrzawszy przy tym na mnie. Ale trudno. To nie ja miałem malować portret tego rzezimieszka z fotografii, a biografię to mu już pewnie napisali kiedyś w prokuratorii, ja więc w żadnym wypadku nie byłem potrzebny. Skłoniłem się z szacunkiem przed panną, nonszalancko pożegnałem ropuchę i pozostałem w apartamencie, Szymon bowiem sprowadzał je ze schodów. Z odprowadzki tej wrócił nie sam, bo ze Szczygłem, który właśnie szedł do nas i spotkał się na schodach z całym towarzystwem; Chrząszcz go przedstawił, po czym po dłuższej chwili rozmowy, podczas której Szczygieł powiedział dwa razy: ha! ha! — przyszli obaj do pracowni, gdzie się rozpoczął zwariowany taniec wojenny Szymona Chrząszcza, który ni stąd, ni zowąd chwycił mnie wpół i począł tańczyć ze mną, chwycił potem Szczygła, który nie broniąc się odtańczył z wielką powagą jakiś taniec szkieletu.

Ze dwie godziny opowiadał Szymon Szczygłowi wszystkie szczegóły wizyty, bredził, jęczał, krzyczał, płakał nad „nieszczęsną sierotą", śmiał się z radości, gwizdał z zachwytu, jednym słowem czynił to wszystko, po czym mało nawet doświadczony psychiatra w lot poznaje, że będzie miał uporczywego pacjenta. Efekt rozmowy był zupełnie niespodziewany. Chrząszcz, jakby sobie nagle coś przypomniał, całuje zacnego przyjaciela z dubeltówki, potem mówi:

— Eustachy, jesteś mój przyjaciel?

Szczygieł pokiwał dziwnie głową na znak, że to nie ulega najmniejszej wątpliwości.

— Eustachy, kochasz mnie?

„Przyjaciel bez najmniejszej wątpliwości" odpowiedział mu wyraziście zrozumiałym dla nas spojrzeniem, że i do psa się można przywiązać z miłością, cóż dopiero do przyjaciela.

— W takim razie bierz to i namaluj!

To rzekłszy wetknął mu w rękę konterfekt tego wisielca, który wymknął się katowi, wypiwszy duszkiem litr spirytusu.

Szczygieł spojrzał i zdumiał.

— Ha! — rzekł.

— Nie chcesz?

— Chcę! — rzekł Szczygieł.

— Więc czemu jęczysz?

— Znam go!

— To jest, znałeś go, bo umarł. To jest pan Kąlicki...

— Jak?

— Kalicki... Mąż tej starszej pani... Tym chętniej go pewnie namalujesz, żeś go znał. Miły był jegomość — co?

Szczygieł zrobił trupią fizjognomię, co świadczyło, że się w duszy pokłada ze śmiechu; równocześnie schował szybko fotografię do kieszeni, jakby się bał, że się Chrząszcz rozmyśli. Musiał się jednak weselić nadzwyczajnie, bo takiej smutnej gęby nie miał dotąd nigdy jeszcze i od czasu do czasu ni stąd, ni zowąd tupał o podłogę nogami.

Mnie właściwie cała ta sprawa zasmuciła; czułem, że Chrząszcz, poczciwy chłop, z sercem szczerym i złotym, wpadł głową w dół w przepaść. Biedak tyle tylko miał dotąd do czynienia z kobietami, że go która czasem w nocy zaczepiła na rogu ulicy, a on jej odpowiadał wesoło: „Odejdź panna, bo się śpieszę na nabożeństwo" — teraz zaś spotkał się oko w oko z kobietą białą jak śnieg, jasną jak poranek i piękną jak życie samo. Nic dziwnego też, że się zakochał jak student. Przez cały następny dzień chodził jak z krzyża zdjęty, co jest niewątpliwą oznaką gorącej miłości, natura bowiem, poczciwa matka ludzi, zawsze ostrzega naprzód i w ten sposób chce człowieka ustrzec przed miłością, że mu z samego już początku demonstruje, jak będzie wyglądał potem, jeśli uczciwej nie usłucha przestrogi. Biedny Szymon! Przez cały zmrok siedział w ciemności przy oknie i patrzył w przestrzeń, do późnej nocy zaś miałem z nim kłopot, bo nakrywszy się wszystkim, czym tylko można się nakryć, palił jednego papierosa po drugim i gadał. Nie gadał jednakże po ludzku, lecz jakimiś aforyzmami, które z pewnością zostały wyjęte z podręcznika dla początkujących wariatów.

Milczy, milczy długą chwilę, potem mówi:

— Mój kochany, śpisz?

— Nie śpię — odpowiadam dość niechętnie, choć mi go żal — czego chcesz, Szymonku?

— Niczego... Chciałem ci tylko powiedzieć, że diabli wiedzą, po co ja dotąd łaziłem po świecie. Czy nieprawda?

— Pewnie prawda...

Znowu cicho, tak że słychać, jak mróz trzeszczy za oknami. A on znowu swoje:

— Śpisz?

— Nie śpię. Chcesz mi co powiedzieć?

— Tak sobie... Ja uważam, że człowiek jest samotny jak pies i dlatego tak w duszy parszywieje. A przecież człowiekowi coś się od życia należy?...

— Należy...

— Talent mam i co mi z tego?... Kobieta to jest dziwny twór boski...

— Bardzo dziwny! — odpowiadam, choć nie mogę pojąć, skąd to Szymon nagle wykoncypował.

Po chwili zacny Chrząszcz już nie zapytuje nawet, czy śpię, czy czuwam, i gada, choćby wiedział, że go słucha tylko para butów przy jego łóżku.

— Czemu ja się właściwie tak nieszczęśliwie nazywam? Chrząszcz! Co to znaczy Chrząszcz? Powiedz komu, a będzie się śmiał...

— To mu kości połamiemy, jeśli będzie miał taki humor...

— Inny to się nazywa po ludzku, a jest bydlak. Jak myślisz, czy kobiety nie boją się takich nazwisk?

— Szczygieł także nazywa się zoologicznie, a ma kochankę.

Widocznie Szymon zastanowił się nad tym argumentem, bo milczał jakie pół godziny. Potem, jakby doszedł do jakichś niesłychanych odkryć filozoficznych, powiada rzewnie:

— Dusza ludzka to jest dziwna rzecz!

W zwyczajnym czasie, gdybym nie wiedział, że w moim przyjacielu dzieją się nadzwyczajne przemiany, tobym wstał o północy i za taki aforyzm udusiłbym go bez drgnienia powieki. Teraz jednak uczyniło mi się żal tego bałwana, więc się jedynie przyczaiłem i udawałem, że śpię.

Szymon widząc, że mu nie odpowiadam, powtórzył sobie jeszcze raz, tylko cichszym głosem, swój niebywale wspaniały aforyzm, potem westchnął. Długo jeszcze słyszałem te westchnienia i przy tym akompaniamencie zasnąłem. Sen miałem straszliwy, bo mi się śniło, że człowiek z fotografii zabił Szymona, a Szczygieł, zupełnie nagi, maluje portret starej Kalickiej, która pozuje mu również nago, za cały strój mając na trupiej głowie kapelusz z wyrudziałym piórem. Bardzo mnie męczył ten sen i zasmuciła mnie śmierć jedynego mego przyjaciela, który wstał rano wprawdzie żywy, lecz wiele w nim tego życia nie było. Bał się najwidoczniej pierwszego posiedzenia z Andziulką, która miała przyjść około dwunastej.

Całe rano mieliśmy bardzo zajęte; najpierw obaj wspólnymi siłami zamiataliśmy apartament, co nie było rzeczą łatwą, zważywszy, że mieszkamy tu już jedenasty miesiąc, a miotła nie tknęła dotąd lustrzanych naszych posadzek. Apartament nasz znajdował się tedy w dziewiczym stanie niechlujstwa, godnym Augiaszowego gospodarstwa; wymietliśmy wszystko na schody pod najbliższe drzwi jakiegoś burżujskiego mieszkania, z czego później była sroga awantura; następnie rozwieszaliśmy obrazy z wielkim zmysłem dekoracyjnym, ze starej jakiejś płachty sporządziliśmy prawie indyjską makatę, która posłużyła do zakrycia gospodarskiego sprzętu: miednicy, kubła na wodę i samowara. Przy usilnych staraniach po jakichś dwóch godzinach salon nasz już tak bardzo, jak poprzednio, nie przypominał kryminału i gotów był na przyjęcie nawet księżniczki.

Wreszcie zabrał się Chrząszcz do tualety. Czesanie zgrzebłami konia można równie dobrze nazwać robieniem tualety. Zdawać by się mogło, że się młodziutka dziewica przygotowuje do pierwszej komunii, ale i młodziutka dziewica nie czyniłaby przy tym tylu awantur, co ten stary byk. Katowskimi nożycami ostrzygłem mu brodę, trochę nierówno, ale zręcznie, po czym Chrząszcz wylał na siebie kubeł wody tak lodowatej, że aż posiniał; wiele pracy mieliśmy z jego przyodziewą, wszystko z nią bowiem można było zrobić, żeby jednak pantalony w pewnych miejscach nie przypominały lustra, na to nie było rady. Chrząszcz w rezultacie jednakże wyglądał bardzo przystojnie i miał nawet przez chwilę minę rasowego arystokraty, kiedy w braku innego, bardziej odpowiedniego narzędzia, rozpoczął czyszczenie paznokci za pomocą tępego gwoździa.

Trwało to bardzo długo, zważywszy niejakie kilkuletnie w tym kierunku zaniedbanie, ja więc przez ten czas zająłem się paleniem w piecu różnorakim palnym materiałem, wśród którego można było rozróżnić i resztki mebli giętych. Dawno już nie pamiętam takiej uroczystości.

Około jedenastej przyniósł Szczygieł z jednym ze swoich przyjaciół na czerwono obity fotel, wypożyczony na wystawie obrazów, co ożywiło nasz apartament niepomiernie i dodało mu jakiejś artystycznej powagi.

Zauważyłem, że ten szelma Szczygieł ciągle się w środku zaśmiewa, nie mogłem zaś odgadnąć powodu. Ponieważ miał wyraz twarzy człowieka, któremu za pięć minut mają robić śmiertelną operację, to był znak niewątpliwy, że ten wesoły człowiek ma jakiś doskonały powód do radości; korzystając więc z odwrócenia ogólnej uwagi, biorę Szczygła na stronę i pytam wprost:

— Słuchaj, Szczygieł, czemu konasz ze śmiechu?

— Ha, ha! — odrzekł mi nasz przyjaciel takim smutnym głosem, że się serce krajało.

— Czemu się śmiejesz?

— Wesoło! — odrzekł Szczygieł.

— Ale czemu ci jest tak wesoło?

— Kawał! — mówi ta małpa.

— Jaki kawał? — pytam niespokojny.

— Wesoły! — odpowiada mi ten baszybużuk.

Machnąłem więc ręką uważając, że prędzej się dowiem czegoś od pieca, niż od tego głuchoniemego idioty.

Nieco przed dwunastą Chrząszcz doszedł do stanu delirycznego; bez większych ceregieli wyrzucił nas wszystkich za drzwi, sam zaś począł chodzić wielkimi krokami po pracowni. Niemal za bramą spotkaliśmy Andziulkę z mamą; skłoniliśmy się głęboko, Szczygieł zaś najgłębiej, po czym rozpoczął jakieś głuche wycie, co oznaczało u niego najwyższy stopień humoru. Spojrzałem na niego podejrzliwie i coś mnie ukłuło w serce; Szczygieł nadaremnie się nie śmieje, bałem się jednakże pytać go z obawy, że go zabiję, jeśli mi pocznie odpowiadać metodą trochę podchowanego kretyna.

Kiedy w oznaczonym czasie powróciłem do domu, zastałem Chrząszcza całego w ogniach; biedny chłop płonął jak buda ze słomy oblana naftą; stał przed rozpoczętym portretem i patrzył w niego jak sroka w kość. Opowiedział mi bezładnie przebieg całego posiedzenia, z czego dowiedziałem się przy pewnym wysiłku inteligencji, że mama przyprowadziła tylko Andziulkę, sama zaś prędko odeszła, gdyż miała jakieś sprawy na mieście, że go zaklęła na schodach, aby Andziulki nie przeraził jakim niestosownym słowem, nieopatrznie użytym w rozmowie, na co on jej dał najświętsze słowo honoru; że się potem w ogóle bał mówić, aż Andziulka sama zaczęła. Co mu mówiła? Boże drogi! Skarżyło się biedactwo złote, że jej jest w życiu bardzo ciężko, że nie ma nikogo, co by ją mógł zrozumieć, że nie ma się komu poskarżyć, nie ma się przed kim użalać ani przed kim wypłakać! Chrząszcz biedaczysko sam miał łzy w oczach, kiedy mi to nieszczęsne składał sprawozdanie.

— Przecież ma matkę? — bąknąłem.

— Matkę! — rzekł Chrząszcz gorzko — o, gdybym ci mógł wszystko powiedzieć?!

— Czemu nie możesz?

Czułem, że zacny Szymon bardzo nawet chce mi to powiedzieć, ale związany jest „straszliwą tajemnicą". Podrapał się po głowie i rzecze:

— Dasz mi słowo, że nikomu tego nie powtórzysz?

— Zbrodnia w familii — pomyślałem, rzekłem jednak ze śmiertelną powagą: — Przysięgam ci.

— Otóż — mówił Szymon szeptem, jakby się bał, żeby go kto nie podsłuchał — Andziulka cierpi bardzo właśnie z powodu matki... Sama mi to powiedziała... Każde słowo było oblane łzą; powiedziała mi: „Matka moja dusi we mnie każdy poryw, ściąga mnie ku ziemi, a we mnie dusza się rwie do lotu w gwiazdy! odrodziłam się od mojej rodziny — jestem ptakiem w klatce! Czemu się nie znajdzie nikt, co mnie z tego wszystkiego wyrwie i uniesie! O, czemu się taki nie znajdzie!"

— Tak ci powiedziała?

— I to, i inne jeszcze. Boże drogi, jak to biedactwo cierpi, jak bardzo cierpi!...

Nie poznawałem Chrząszcza; z niedźwiedzia, który w tym zimowym czasie powinien ssać własne łapy, uczynił się liryk pierwszej klasy; wiedziałem, że go do piekła można zaprowadzić, jeśli mu się umie przemówić do serca, jednak dość szybko się z tego otrząsał, teraz jednak widzę, że go wzięło nie na żarty. Zapytałem też dość niespokojnie:

— A ty co na to?

— Ja? ja jej odpowiedziałem to, co powinienem był odpowiedzieć. Powiedziałem jej, że nie wszyscy ludzie są małpy i z całą pewnością znajdzie się wśród nich jeden uczciwy.

— To niby ty?

Chrząszcz się zaczerwienił jak burak.

— Tego jej nie powiedziałem!

O, Szymonie naiwny! Chciałem go uściskać za jego cudowną prostotę i uczciwość niesfornej duszy, nie czas jednak był na to. Sprawa stawała się poważniejszą; czułem, że biedaczysko jest już gotów i żadna moc ludzka z tego go nie wydźwignie. Dobrze przynajmniej, że trafił na kobietę, która gada trochę panieńskimi frazesami, ale niewinność jej oczu ręczy, że to dusza czysta jak źródło. Rozczuliłem się patrząc na biednego Szymona, który nie odrywając oczu od głowy Andziulki, cudownie jednym wspaniałym ruchem rozmiłowanego w swym modelu twórcy zarysowanej na płótnie, miał minę biednego, bardzo dobrego dziecka, co się za chwilę rozpłacze, choć samo nie wie, czemu. O Szymonie, Szymonie, przyjacielu najsłodszy! Niech ci dobry Pan Bóg, jedyny artystycznego cechu opiekun, da wszystko najlepsze!... Nie znam lepszego serca niż twoje, oby cię nigdy nie zabolało!... Nabiedowałeś się, chłopie serdeczny, marzłeś i nie jadłeś, a nikomu najdrobniejszej nie uczyniłeś w życiu krzywdy — niechże jej i tobie nikt nie uczyni. Droższa mi jest twoja słodka przyjaźń nade wszystko, ale to trudno... Chce cię Pan Bóg nagrodzić kochaną kobietą, bo się zawstydził, że cię prześladował tak długo, to ją bierz. Ja tam jakoś z Eustachym Szczygłem się rozgadam i będziemy dalej jedli suchy chleb, okraszony śmiechem i radością. Ej, Szymku złoty! Przyszło i na ciebie, może i na mnie przyjdzie.

Zrobiło mi się jakoś nijako koło serca i wilgoć poczułem w oczach. Co to za idiotyczne stworzenie człowiek! Jak Pana Boga kocham, serdecznie idiotyczne! Niby nic świętego, niby pluje na wszystko, niby wszystko w śmiech obróci, aż tu ni stąd, ni zowąd w oczach mu się coś zakręci i wszystko diabli wzięli: brawurę, wesołość, cynizm i inne takie rzeczy.

Zły sam na siebie poszedłem na cały wieczór do Szczygła pomilczeć z nim parę godzin o rzeczach wiecznych; znalazłem tam całe zgromadzenie, wśród którego rej wodził jakiś filozof od siedmiu złodziei, który swój system filozoficzny objaśniał za pomocą kilkunastu zapałek, z których układał na stole rozmaite zawikłane figury; były też damy, bardzo nawet przyjemne, dwie uczennice szkoły dramatycznej i jedna malarka, które mówiły sobie „wy", paliły papierosy i rozprawiały na temat, czy kobieta ma prawo zamordować swoje, nieprawym sposobem zrodzone dziecko. Bardzo, jednym słowem, było przyjemnie i czas zbiegł do pierwszej w nocy. Dam nie trzeba było odprowadzać, bo wszystkie trzy zostały na noc u Szczygła, więc się powlokłem do domu, gdzie ku memu niesłychanemu zdumieniu nie znalazłem wcale Szymona.

Wrócił dopiero około czwartej i położył się spać po ciemku. Przypuszczałem, że się włóczył po ulicy pod oknami Andziulki, nie chciałem go jednak pytać o nic, tym bardziej że Szymon wcale nie był w tym czasie rozmowny. Zostawiłem go więc samego, tym bardziej że nie wiadomo było dokładnie, kiedy Andziulka przyjdzie pozować, a prosiła, żeby nikogo z przyjaciół Szymona przy tym nie było.

Dzień tak mijał za dniem, a każdy był coraz dziwniejszy. Chrząszcz był stanowczo w nienormalnym stanie, co jednak dziwniejsze, to to, że mimo posiedzeń, często trzygodzinnych, portret zupełnie nie postępował. Co to jest u licha? Wykombinowałem, że się biedactwo dziewczyna rozgadała, a Chrząszcz siedzi godzinami i słucha. Miałem dla tej dobrej panienki dziwną sympatię, że zaś Chrząszcza traktowałem jak wielkie dziecko, wyobrażałem sobie rozmowy tych dwojga dzieciaków. Obawiałem się tylko, czy Szymonowi na rękę jest współlokator, toteż jednego wieczora rozmówiłem się z nim bardzo szczerze.

— Słuchaj, Szymciu, może ja ci przeszkadzam w robocie? Powiedz, a żadnej mi przykrości nie wyrządzisz, bo mi ofiarują cudowne mieszkanie za psie pieniądze, mogę się wyprowadzić choćby jutro. No, jakże?

Chrząszcz spojrzał na mnie bardzo, bardzo smutno i po raz pierwszy w życiu nie odpowiedział mi ani słowa. Usiadł, rękoma objął głowę i siedział tak nieruchomo.

Źle jest — pomyślałem.

A to nie tylko było źle, to było nawet strasznie.

Minęło już ze dwa tygodnie od pierwszego posiedzenia i od dwóch tygodni, wracając wieczorem do domu, czułem ciężki zapach perfum, który już u nas osiadł na stałe. Wszelkie dane wskazywały na to, że Andziulka przychodzi sama. Na portrecie coś tam niby przybywało, ale tyle, co kot napłakał. Szczygieł już kończył portret tego bandyty z fotografii i stworzył coś takiego, czym się żadne z muzeów kryminalnych świata poszczycić nie mogło: to nie był człowiek, to była sama zbrodnia; zdawało się, że człowiek ten na portrecie, nie mogąc w żaden inny sposób ulżyć swojej naturze, ukradnie jednego dnia własne ramy, gdyby zaś ten portret wystawić na widok publiczny, zbiegłyby się do niego wszystkie psy policyjne z całego kraju.

Trochę mi się zrobiło strasznie, kiedy pomyślałem, że mój przyjaciel może mieć za zrządzeniem boskim takiego teścia. Powiadam do Szczygła:

— Powiedz prawdę, czy go naprawdę znasz? Kto to jest?

— Łajdak! — odrzekł Szczygieł.

— To widać z gęby, ale kto on taki z profesji?

— Handlarz...

— E! A czymże ten rzezimieszek handlował?

— Żywy towar... — odrzekł Szczygieł, ale Bóg go raczy wiedzieć, żartował czy mówił prawdę.

Powiadam mu jednak:

— Słuchaj, Eustaszku, nie żartuj przypadkiem w ten sposób przy Chrząszczu, bo cię zabije...

— Czemu?

— Bo zabije. Chce się żenić z panną Andzią.

Powiedziałem to tak sobie, na własną odpowiedzialność, nie przewidując wrażenia tych słów na Szczygle, który dzierżył w ręce szpachtlę czy coś takiego, usłyszawszy zaś moje słowa wypuścił wszystko z rąk.

— Nieprawda! — rzekł.

— A jeśli prawda?

— Ha!

— Gadaj, do stu diabłów, po ludzku. Bogdajbyś się udławił swoim bulgotem — co to znaczy: ha?

— Niemożliwe!

— Co to jest niemożliwe! Co masz przeciwko tej dziewczynie?

Szczygieł czynił rękoma jakieś ruchy jak głuchoniemy i rzekł:

— Dziecko!

Zrozumiałem po ludzku ten niedźwiedzi mamrot, który miał oznaczać, że to biedactwo jest jeszcze dzieckiem, którego szkoda dla Chrząszcza. W odpowiedzi jednak trzasnąłem drzwiami, bo trzeba było mieć anielską cierpliwość, aby się dogadać z tą lichą imitacją człowieka, który miał przeszło trzydzieści lat, a nie nauczył się dotąd jeszcze mówić. Zirytowany powróciłem do domu, gdzie się tego wieczora rozegrał przedostatni akt tragedii. Nie poznałem Chrząszcza; to nie był ten sam człowiek, oczy mu świeciły dziwnym blaskiem i blady był jak płótno. Podszedłem do niego naprawdę zaniepokojony i położyłem mu lekko rękę na ramieniu. Szymon drgnął.

Zapytałem cicho.

— Co ci jest?

On spojrzał na mnie błędnie, patrzy, patrzy

jak nieprzytomny, potem zwalił mi się głową na pierś i ryknął płaczem.

Jezus Maria! — myślę, głośno zaś mówię:

— Uspokój się, Szymek, uspokój... Co ci się stało? Kochasz Andziulkę, no to i dobrze. Ona ciebie pewnie także... No cicho! Ot, stary chłop i płacze jak panienka... Andziulka jest dziewczyna, a pewnie tak nigdy nie płacze...

Com ja powiedział. Boże drogi! Te słowa podrzuciły Chrząszczem, że aż się zaniósł od płaczu; nie można go było uspokoić w żaden sposób, po długim dopiero czasie udało mi się go ułożyć i biedaczysko zasnął jak kamień.

Siedząc nad Chrząszczem zacząłem tę całą sprawę rozbierać „powieściowo" i układać w całość pojedyncze cząstki mozaiki; coś między nimi musiało zajść bardzo poważnego — ale co? Żeby Chrząszcza doprowadzić do dziecięcego płaczu, na to trzeba było czegoś niesłychanego, nie tego jednakże, żeby jemu wyrządzić krzywdę, boby wtedy zaciął bestia swoje wilcze zęby i byłby twardy jak skała. W takim razie on jej wyrządził krzywdę... Boże miłościwy!

Rozejrzałem się po pracowni i dojrzałem dziwny w niej nieład; na podłodze leżały jakieś chuderlawe zimowe kwiatki, obok nich zaś — co to jest? Grzebień do upinania włosów... Dziwna rzecz. Przy pozowaniu niepotrzebne jest rozwiązywanie włosów, bo portret jest w kapeluszu. Zaczynało mi się czynić cokolwiek gorąco w miarę dopełniania powieściowego rozdziału...

Ach, to więc tak?!!!

Biedna Andziulko!

Byłem w tej chwili pewny, co się stało, i taka mnie wzięła złość na Chrząszcza, że byłbym go udusił śpiącego. To ten złodziej najpierw krzywdzi biedactwo, które przychodzi do niego żalić się na innych, a potem — łajdak jeden — płacze na mojej piersi. Ale niech go licho porwie! Śpi czy nie śpi, jest świnia i koniec. Powiedziałem mu to głośno, ale nie słyszał, gdyż jęczał przez sen.

Ciężkie było nasze następne rano. Zaczęło się od tego, żem spojrzał na niego jak na psa i dając mu pogardliwym ruchem grzebień, rzekłem:

— Odnieś to tej biednej dziewczynie!

Pomyślałem równocześnie, że jeśli moje przypuszczenia są nieprawdziwe, to przyjdzie mi chyba paść na kolana przed moim przyjacielem i błagać go o przebaczenie. Ale gdzież tam! To przecież prawda! Pobladł i drżał cały jak w febrze; miał minę przy tym tak nieszczęśliwą, że mnie zabolało coś koło serca. Powiedziałem mu jednak smutno:

— Szymek, coś ty zrobił?

On opuścił głowę na piersi i coś gadał. Można było z tego wyrozumieć, że są winni oboje, bo i ona także. Nie mogło mi się to wprawdzie w głowie pomieścić, skąd w Chrząszczu tyle znalazło się odwagi, ale mnie pasja wzięła, kiedym pojął, że Szymon jest taki sam mężczyzna, jak wszyscy inni, łotr obłudny, który chce winę z siebie zwalić na nieszczęsną, niedoświadczoną dziewczynę.

Słowa nie mówiliśmy do siebie przez cały dzień i obaj chodziliśmy mocno zamyśleni. Struty był Chrząszcz, jakby się witrioleju napił, i naprawdę żal było patrzeć na niego; drżał biedaczysko, ile razy na schodach kamienicy słyszeć się dawał najmniejszy hałas; przeczuwał jakąś katastrofę i przeczuł ją dobrze, pod wieczór bowiem ktoś zapukał do naszych drzwi, ja zaś równocześnie usłyszałem stuk serca Szymonowego. Oparł się on o jakieś krzesło i zmartwiał.

Weszła straszliwa matka. Czcigodna jak śmierć, ponura jak nieszczęście, milcząca jak czarny duch. Chwyciłem za kapelusz, równocześnie zaś sroga strzyga chwyciła mnie za rękaw.

— Zostań pan! Tu nie ma tajemnic.

Rozegrała się scena, która się już w życiu nie zdarza, a jakie takie zainteresowanie budzi w mieście, do którego teatr przyjeżdża raz na dziesięć lat i gra zapłakaną sztukę w braku innej sali w żydowskiej łaźni. Wielki monolog tej komicznej matki zaczął się, jak zwyczajnie, od słów: „Panie, moja córka wszystko mi powiedziała!" — a skończył się patentowanym okrzykiem rozdzierającym serce: „Co ja teraz z nią zrobię — mam ją zabić własnymi rękoma?"

Ponieważ Chrząszcz nie był zdolny do wydania z siebie nawet jęku, tedy ja w wyrazach pełnych uszanowania zapewniłem ten przydeptany pantofel, że aczkolwiek nie wiem, co się stało, jednak pewny jestem, że morderstwo własnego dziecka jest najzupełniej niepotrzebne, że przyjaciel mój jest to człowiek honorowy, i chociaż ja po raz drugi nie wiem zupełnie, co zaszło, pewny jednakże jestem, że mój przyjaciel, który z całego serca i z całej duszy kocha pannę Andzię, ożeni się z nią, choćby dlatego, żeby mieć taką szanowną matkę, jaką jest ten wzór matek, właśnie przede mną stojący.

Odetchnąłem, mama westchnęła, Chrząszcz zaś przez cały ciąg mojej oracji kiwał uradowany głową, co miało znaczyć, że mu wszystkie słowa zdejmuję z warg jak kwiaty. Efekt całości był też niesłychanie teatralny, bo wytarta kanapa chwyciła Chrząszcza w objęcia, ja zaś zawdzięczam to małpiej mojej zręczności, żem się od tego samego uchronić potrafił.

Mój Boże! Lat już temu wiele, a jednak dziś jeszcze wściekłość mnie porywa, kiedy sobie przypomnę, jak byliśmy wtedy łatwowierni i jak mało zastanawialiśmy się nad sprawami tego świata!

Przez tydzień nie było nas w domu, bośmy zjadali konfitury u mamy dobrodziejki w schludnym mieszkaniu obwieszonym stoma świętymi obrazami, to jest ja bawiłem to zgniłe strusie jajo, Szymon zaś, który lepszą cząstkę wybrał, siedział na kanapce w drugim pokoju z Andziulką, promieniejącą jak najpiękniejszą z gwiazd, i gadał. Podobno Szczygieł dwadzieścia razy dziennie do nas zachodził, bo za każdym razem zostawiał listy, których po dwóch dniach jużeśmy nie otwierali, bo ten głuchoniemy bożek pogański albo oszalał, albo urządzał głupie kawały i w każdym liście pisał dziwnym stylem:

Szukam was. Uważaj, przyjacielu! On siedzi, ona rajfurka, córka nie sama, bo dziecko. Ha!

Co to wszystko miało znaczyć? Nie wiedzieliśmy ani tego, ani i drugiego, kiedy Szczygieł kazał nam rzec przez stróża, że on umywa ręce. Czego ten bałwan chce, u licha? Co za Piłat beznadziejny, który umywa ręce? Kazaliśmy mu odpowiedzieć odwrotnie, żeby nie mył rąk, lecz żeby sobie zrobił zimny okład na głowę.

W tych to dniach odbył się cichy ślub Szymona z Andziulką, mimo tego że ona była w żałobie. Stara płakała, ja płakałem, Chrząszcz był jakiś uroczysty, Andziulka dziwnie poruszona. Dali nam jakiegoś obrzydliwego wina i wtedy dopiero poznałem, jaką świnię alkohol może zrobić z człowieka; czy kto temu uwierzy, czy nie, faktem jest, że gdy Szymon z Andziulką zniknęli od stołu, a ja zostałem sam na sam z tym starym żelaziwem, z tą zjełczałą ropuchą — piłem jej zdrowie i szczypałem ją w łydkę, na co ona odpowiadała jakimś grubym śmiechem nie z tego świata albo też piskiem, jaki wydaje z siebie pęknięty balon gumowy.

Skończyło się nasze życie z Szymonem Chrząszczem i oto jednego dnia odesławszy mu, co było jego, zawinąłem mój majątek w ręcznik i powędrowałem do apartamentu Eustachego Szczygła, który od czasu, kiedyśmy mu kazali zrobić sobie okład na głowę, w ogóle nie utrzymywał z nami stosunków. O małżeństwie Chrząszcza wiedział zapewne, nie powiedział jednak w tej sprawie ani słowa.

Przychodzę do niego z moimi meblami w ręczniku, a on się nawet nie zdumiał. Powiadam mu:

— Szczygieł, przytulisz mnie?

— Można... — odrzecze on.

Niezdecydowanym ruchem ręki pokazał mi odpowiedni departament w swoim apartamencie i tyleśmy ze sobą gadali; bez ceremonii brał mi ze stołu wiersze, jeśli trzeba było rozżarzyć w samowarze węgle, ja bez ceremonii stawiałem na jego obrazie miednicę, aby nie rozlewać wody na podłogę. Dwóch ludzi bez żółci zawsze znajdzie sposób życia.

Zauważyłem jednakże, że Szczygieł, który nas obu szczerze kochał, dziwnie posmutniał od czasu ślubu Chrząszcza, choć o tym nie wspominał; raz jeden tylko pamiętam, wskazawszy palcem na gębę Szymona, którą kiedyś namalował, powiada:

— Był powóz?

— Jaki powóz, gdzie?

— Na ślub?

— Aha! na ślub... Pewnie, że był.

— To źle!

— Czemu źle?

— Lepszy karawan...

Ja mu na to:

— Podrap się, Szczygieł, bo cię coś gryzie.

— Tak... gryzie... — rzekł Szczygieł i zamyślił się.

Ja zadumałem się również. Szymona nie widziałem już dłuższy czas i bardzo mi było za nim tęskno; raz się wybrałem z wizytą, ale mi nikt nie otworzył, tak że wreszcie trochę zacząłem mieć żalu do przyjaciela, że się zamyka ze swoim szczęściem. Nikt o nim nic nie wiedział.

Jednego dnia idę wieczorem pod arkadami, podniósłszy kołnierz, bo wiosna, choć się jeszcze nie zapowiadała, siekła już obrzydliwym deszczem. Patrzę, a z mroku wyłania się figura, która mi chodem i krojem niedźwiedzim dziwnie przypomina Szymona — coś jednak twarz nie ta sama. Ale to jednak on.

— Szymon! — krzyczę na całe miasto.

On się w pierwszej chwili jakby przeraził, bo nagle chciał zawrócić, lecz nie było sposobu, zresztą dopadłem do niego w dwóch skokach i rzuciliśmy się w objęcia. Jak Boga kocham, żem miał łzy w oczach, a on także. Na miłość boską, jednakże co się z tym człowiekiem stało!? Posiwiał czy co? Zżółknął, czy też to światło suchotniczej latarni takie na niego trupie rzuca blaski?

— Spieszę się! — mówi on szybko — do widzenia... Pomówimy innym razem...

Otworzyłem szeroko oczy, on zaś zakręcił się na pięcie i zniknął.

Co to się dzieje?

Opowiedziałem to wszystko Szczygłowi, który kiwał dziwnie głową.

— Szczygieł, co myślisz o tym wszystkim?

— Cholera! — zaklął malarz, czym wyraził jasno wszystko, co o tym myśli.

Na drugi dzień Szczygieł wziął pod pachę jakiś obraz i poszedł widocznie na Żydy, bo długo nie wracał, wrócił zaś wprawdzie bez obrazu, ale z żelaznym łóżkiem, które jakiś niewolnik żydowski przydźwigał na plecach. Nie powiedział ani słowa, lecz rozkłada to madejowe łoże w jednym kącie.

Myślę sobie: jeśli i ten się ożeni, gdzie ja się biedak podzieję? Pytam więc smutno:

— Kto na tym będzie spał?

— Chrząszcz! — odpowiada mi malarz.

— Czyś oszalał?

— Nie!

— Chrząszcz ma swój dom.

— Przyjdzie! — mówi Szczygieł.

O, tak! przyszedł. Jednej nocy, gdy deszcz siekł, ozwało się pukanie do drzwi. Po chwili wszedł Szymon, taki jakby z grobu wstał. Nie powiedział nic, myśmy także nic nie mówili, Szczygieł tylko podszedł do przygotowanego łóżka i złożył na nim swoją własną poduszkę; Szymon patrząc na to wszystko miał łzy w oczach, mnie zaś chciało się wyć z bólu.

O, jaka to była straszna, straszna noc. Każdy z nas czuł, że żaden nie śpi, każdy zaś udawał, że śpi jak zabity. Niczego się w życiu tak nie obawiałem, jak wschodu słońca następnego dnia. Ale to trudno, musiało wzejść.

Poczęliśmy od rana grać najgłupszą z komedyj. Jak gdyby nic, gadaliśmy o wszystkim, byle nie o tym, o czym należało mówić; czułem, że biedactwo, Szymon, przechodził jakieś piekielne męki i tylko zęby zaciska; nie wytrzymał jednakże. Szczygieł się krzątał koło niego jak matka koło chorego dziecka, złoty, dobry chłop, a w pewnej chwili Szymon ujął go za rękę i spojrzał mu głęboko w oczy. Widziałem, że Szczygieł pobladł.

— Wiedziałeś wszystko? — spytał Szymon cicho.

— Tak! — odrzekł Szczygieł.

— Skąd wiedziałeś?

— Wszyscy wiedzieli.

— Czemuś nie powiedział?

— Mówiłem, ale źle. Pisałem.

Chrząszcz się zamyślił.

— Tak, to prawda. Źle mówiłeś, choć mogłeś nic nie mówić. No, trudno... trudno... trudno...

Wstrząsnął serdecznie rękę Szczygłowi i ciężko usiadł.

Historia była najzwyczajniejsza pod słońcem. Gdyby Chrząszcz chciał zabijać wszystkich, którzy odczuwali radość życia w ramionach panny Andziulki, jeszcze za jej panieńskich czasów, musiałby wymordować pół miasta. To się mogło nie odkryć, musiało się jednak odkryć dziecko, które się chowało zdrowo i szczęśliwie na pociechę i koszt całej tej połowy miasta. Szczygieł to wiedział, bo kiedyś od Kalickich odnajmował mieszkanie, nieszczęście jednak chciało, że z początku uważał całą sprawę z Chrząszczem za zwyczajny malarski romans, który się skończy po dwóch tygodniach z trzydniowym wypowiedzeniem. Potem, kiedy już cała sprawa zaszła bardzo daleko, trochę się bał mieszać w tę historię, uważał bowiem za niemożliwość, żeby który z nas nie znał historii tej wspaniałej rodziny, której głowa siedziała w kryminale, co dało sposobność starej wiedźmie do noszenia żałoby. Stara ta rajfurka handlowała córką, w rezultacie zaś do jakiejś ciemnej historii trzeba było tego aniołka wydać za mąż. Strach pomyśleć.

Chrząszcz siedział całymi dniami nie mówiąc do nikogo ani słowa i patrząc w okno, myśmy zaś jak kruki znosili pożywienie; zacny Eustachy pracował jak wół i żywił całe konsorcjum, kochany, dobry malarz. Naradziliśmy się z nim po cichu, co zrobić z Chrząszczem? Trzeba było pomyśleć o jakimś rozwodzie, Pan Bóg jeden wiedział jednak, do kogo i z jakimi pieniędzmi z tym się udać. To były plany na przyszłość, na razie myśleliśmy, co zrobić, aby biednego Szymona wyprowadzić z tego stanu odrętwienia, w który się pogrążył.

— Ja go spróbuję rozweselić! — rzekł straszliwie marnując słowa Eustachy.

Tegom się najbardziej bał; Szczygieł jest dobry do rozweselenia zdechłych koni, ale nie człowieka, który mógłby się naprawdę jeszcze zaśmiać. Próbował to jednak uczynić swoją własną metodą, to znaczy siadał przy Chrząszczu i siedział; potrafił tak siedzieć ze dwie godziny i nie przemówili do siebie słowa, wobec czego sytuacja stanowczo się zmieniła na lepsze, bo zamiast jednego melancholika przy oknie siedziało ich teraz dwóch. Niedługo to jednak trwało. Jednego razu Chrząszcz wyszedł wieczorem i późno wrócił.

— Już się ruszył — rzekłem do Szczygła — to dobrze...

— Źle! — odpowiedział malarz.

— Czemu źle?

— Nie wiem.

Tak się wyćwiczyłem w anielskiej cierpliwości w rozmowie z tym wielbłądem, żem już nie reagował na jego kabalistyczne gdakanie.

Chrząszcz wrócił późno w nocy i musiał się zachowywać bardzo cicho, bośmy ledwie coś niecoś słyszeli. Około trzeciej zbudził nas trzask, jakby się dom walił. Chrząszcz leżał na łóżku blady jak ściana i ręką bił rozpaczliwie o ścianę; strzelił do siebie w okolicę serca.

Matko najświętsza!

Co się wtedy działo, nie wiem.

To tylko pamiętam, że kiedy po pewnym czasie lekarz powiedział, że kula przeszła bokiem i że Chrząszcz będzie żył, padliśmy sobie ze Szczygłem w objęcia i przez kilka chwil czułem gorące łzy Eustachego Szczygła na mojej twarzy. I wtedy pomyślałem, że jeden drugiemu ani brat, ani swat, lecz jeden dla drugiego uciąłby sobie ręce. Bo choć nam Bóg, dla poetów i malarzy niehojny, wszystkiego odmówił, serca nam dał dziecięce.

W jedno miała właśnie trafić kula, ujrzawszy jednak, że jest niezmiernie biedne, najlepsze z serc, a zżarte zgryzotą i opętane bólem — ominęła je i poszła bokiem.

Szczygieł pochylił się nad Szymonem i wtedy ujrzałem dziwo niesłychane; w ponurych oczach Szczygła rozjaśnił się uśmiech tak radosny i tak dobry, jakim matka rozświetla twarz swojego dziecka.

— Będzie żył!... — szeptał — będzie żył...

Szymon spojrzał gasnącym wzrokiem i uśmiechnął się.

dalsze koleje i kres Szymona Chrząszcza

Kiedy we dwa lata po straszliwej małżeńskiej awanturze Chrząszcza dostał najwierniejszy przyjaciel nasz, mistrz Eustachy Szczygieł, złoty medal na jednej wielkiej wystawie, przyszliśmy do niego w deputacji, aby mu wytłumaczyć, że się powinien powiesić, w ten bowiem sposób nie przeżyje swej sławy. Ponury ten człowiek zdradzał jednakże żywiołową ochotę do życia, zupełnie niepojętą u człowieka, który czynił wrażenie, jakby tylko na przeciąg dziennych okresów dostawał urlop z tamtego świata. Miał on jednak na ogół szczęście, o którym mówił, że je zawdzięcza jedynie swej radosnej pogodzie ducha i złotemu swemu humorowi. Przybłąkał się do niego jakiś szlachetny mecenas dziwnego nabożeństwa, który przesiadywał u niego godzinami i obaj w ogóle nigdy do siebie nie mówili; mecenas patrzył, jak Szczygieł malował, potem go prosił na kolację, gdzie obaj w dalszym ciągu nie gadali do siebie i zazwyczaj obaj upijali się ze znakomitą dokładnością. Czasem on Szczygła, czasem Szczygieł jego odprowadzał do domu, czasem ich obu razem odprowadzał z ludzkim sercem policjant. W pewnych okresach czasu kupował mecenas obraz u Szczygła, który wtedy sam prosił mecenasa na kolację, wracając zaś z niej zwykle nad ranem, ciskali obaj tym obrazem za wróblami albo za kotem, który im przebiegł drogę.

Nam się wiodło nieco gorzej; mieszkaliśmy już osobno, bo Chrząszcz, zdaje się, polubił samotność, ja musiałem pisać wiele, ciągle jednak byliśmy razem, zawsze w poszukiwaniu większej jakiejś sumy i zawsze w oczekiwaniu na jakiegoś dobrodzieja, który by nam kupił buty. Ponieważ jednak szlachetni dobrodzieje nie zadają się z ludźmi, którym mało jest dziesięć palców u rąk i koniecznie chcą ukazać światu przynajmniej po dwa palce każdej nogi, łataliśmy więc gorzką biedę w dość arogancki dla życia sposób. Niemniej jednak najgorszy wróg nie mógł nam odmówić oryginalnej fantazji w wiązaniu wspaniałych, czarnych krawatów. Na ulicy się za byle kim nie oglądają, za nami zaś obejrzał się zawsze każdy przechodzień i stał chwilę, zawsze mocno zdumiony, mina bowiem wielkiego pana przy równoczesnym nieznacznym zaniedbaniu stroju zawsze jest godna szczerego podziwu.

W dniu, w którym przyszliśmy gratulować Szczygłowi jego wybitnego odznaczenia, byliśmy nawet eleganccy i znać było na nas pewną zasobność, w każdym bowiem razie okrawkami z wybitnie malarskich, szerokich spodni Chrząszcza oszczędny człowiek mógłby przyodziać całą familię. W spodniach tych i w kapeluszu z szerokim rondem Szymon przypominał żywo Piętaszka, który się już nieco ucywilizował. U Szczygła zastaliśmy całe zgromadzenie, które opowiadało sobie nadzwyczajny i mocno oryginalny przebieg audiencji, jaką Szczygieł miał u wysokiego dygnitarza z racji swego odznaczenia.

Zaczęło się od tego, że go lokaj nie chciał wpuścić, Szczygieł spojrzał jednakże na niego tak wyraziście, jak patrzy nieboszczyk, któremu zapomnieli zamknąć oczy, na swoich spadkobierców; więc się przeraziła lokajska dusza i pyta:

— Kogo mam zameldować? Kto pan jest?
— Szczygieł!
— Proszę nie robić żartów, bo tu tego nie wolno. Jakie jest pańskie nazwisko?
— Szczygieł...
Lokaj się cofnął, bo chociaż lokaj, to jednak wiedział, że z wariatami niebezpiecznie zadzierać.
— Ekscelencji nie ma, proszę przyjść innym razem.
— Nie przyjdę. Melduj zaraz, bałwanie.
Lokaj się ukłonił, pomyślawszy, że kto tak gada, ten może jest przebranym perskim ministrem. Poprosił więc tylko skromnie:
— Niech pan przynajmniej wytrze nogi!
— Nie mam zwyczaju! — rzekł spokojnie Szczygieł.
Ekscelencja przyjął go z wielką rewerencją i powiada:
— Pański talent jest wybitny, panie Szczygieł, talent ten musiał zyskać uznanie. Obraz pański jest cudowny.
— Ramy ładne — mówi ten bałwan.
— Obraz jest piękny, nie o ramach mówię — rzecze dygnitarz, patrząc na niego podejrzliwie — i za obraz dostał pan złoty medal. Zadowolony pan?
— Podobno... — rzekł Szczygieł.
— Jak to „podobno"? Pan ma dziwny sposób wyrażania się. Pan się powinien cieszyć, to nie jest przecie mała rzecz takie uznanie.

— Będą pyskować!... — powiada ten niepoprawny buszman.

Ekscelencja zbaraniał.

— Pan — powiada — używa zbyt popularnych zwrotów. Zresztą mniejsza o to. Cóż pan teraz maluje?

— Coś gołego — powiada Szczygieł.

— Aa! to pewnie bardzo zajmujące!...

— Wcale nie!

— Czemuż to?

— Zbyt włochaty akt...

Dygnitarz zawahał się przez chwilę, co ma z tym uczynić, ale się uśmiechnął, potem zawrócił z tej niebezpiecznej drogi i rzecze:

— Pan przyszedł podziękować za odznaczenie?

— Wcale nie.

— Jakże to? więc z czym pan właściwie przyszedł?

— Nie wiem.

Dygnitarz zaczął podejrzewać siebie samego, że zwariował.

— To dziwne! — powiada — nie wie pan, po co przyszedł, ale przyszedł...

— Mówili, że trzeba.

— No to już dobrze, dobrze. Pan bardzo jest zajmujący człowiek i słowo daję, że ciekawy. Będę o panu pamiętał. Żegnam pana.

W tym miejscu podał Szczygłowi dwa palce, których malarz z wielkim dotknął szacunkiem, ale się nie ruszył z miejsca. Dygnitarz powiada:

— Na co pan jeszcze czeka?

— Jeszcze na trzy palce — mówi Szczygieł ze śmiertelną powagą.

Opowiadali, że ten szanowny dygnitarz najpierw poczerwieniał, potem, wielkim dla Szczygła zdjęty szacunkiem, podał mu serdecznie całą już rękę i uścisnął.

Przy drzwiach lokaj podawał Szczygłowi kapelusz, który trzymał ostrożnie w końcach palców, gdyż taki fagas sądzi wszystko po pozorach; Eustachy wziął kapelusz z godnością, potem począł szukać po kieszeniach, ponieważ jednak wielkie sumy miał złożone w Banku Angielskim, drobnych zaś z zasady przy sobie nie nosił, powiedział więc z książęcą godnością:

— Drugim razem!

Teraz opowiadał grobowym głosem w straszliwie krótkich zdaniach, że ten wysoki dygnitarz tak był zdumiony i oczarowany jego inteligencją, że go chciał koniecznie przedstawić swojej córce, dla której szukał męża, że mu zaproponował mówienie sobie „ty", że się chciał z nim pomieniać na zegarki na świadectwo przyjaźni i że odprowadzając go ze schodów powiedział głośno tak, że wszyscy lokaje to słyszeli i mogą zaświadczyć: „Szczygieł, przyjacielu kochany, czemu ja nie jestem tobą — byłbym szczęśliwy i wielki!"

Towarzystwo ryczało ze śmiechu, Szczygieł zaś ani drgnął.

Poznaliśmy się na tym zebraniu z dziwnym człowiekiem, który miał gębę z gutaperki, oczy zupełnie zblakłe, tak że aż białe, i przejmujący wyraz twarzy. Był to aktor, wielki Szczygła przyjaciel od czasu, jak ich razem i mecenasa Szczygła do towarzystwa przyaresztowali pod zarzutem dość ciężkim, bo podwójnego morderstwa, zgwałcenia dziewicy i znieważenia grobu. A było to tak.

Szczygieł ze swoim mecenasem siedzieli w knajpie późno w nocy i patrzyli w kieliszki, wesołym swoim obyczajem nie mówiąc ani słowa, nie chcąc na próżne gadanie tracić czasu, który można znacznie praktyczniej spędzić na sączeniu alkoholu. Obok siedział samotny ten człowiek z gębą z gutaperki i przyglądał im się wesoło, śmiejąc się z nich głośno od czasu do czasu, co im bynajmniej nie zawadzało, bo w niezmiernej swej pijackiej dobroci doszli do przekonania, że jeśli kto ma humor, ten powinien się śmiać. Tamten, który trochę podpił, zirytował się wreszcie, że te dwa bałwany nie zwracają najmniejszej uwagi na jego wesołość. Ludzie mają czasem dziwaczne pretensje! Wstaje wreszcie, podchodzi ku nim i powiada arogancko:

— Śmieję się, bo mi się tak podoba!

Szczygieł spojrzał na niego łagodnie i powiada:

— Ma pan rację...

Tamten zbaraniał.

— Ja mam zawsze rację! — powiada niepewnie.

— To ładnie z pańskiej strony! — rzekł Szczygieł.

Napastliwy gentleman z gutaperkową gębą, ujęty tą niesłychaną uprzejmością, kłania się i rzecze:

— Czemu pan jest taki ponury?

— Bo mi wesoło...

Tamten otworzył szeroko oczy, potem się zatrząsł ze śmiechu i powiada:

— Niech mnie pan przedstawi temu drugiemu panu, to z wami siądę.

Szczygieł uczynił to z gracją i rzekł przedstawiając nowego znajomego mecenasowi:

— To jest mój serdeczny przyjaciel, ale nie wiem, jak się nazywa.

— Bończa! — rzekł jegomość.

— Może być i tak. To jest nazwisko dla legawca.

Jegomość aż się schwycił za brzuch ze śmiechu i rzucił się na Szczygła, chcąc go uściskać. Mecenas zaś, czyniąc nowemu gościowi miejsce, rzekł uroczyście:

— W knajpie i w kryminale milej jest siedzieć w towarzystwie przyjaciół.

Nowy gość skłonił się na te słowa z wielką powagą i rzekł również uroczyście:

— Mówi przez pana doświadczenie, to zaraz widać!

Potem zaczęli konać ze śmiechu wszyscy trzej, to znaczy śmiał się głośno głową, rękoma, brzuchem i nogami nowy gość, Szczygieł patrzył w sufit i bardzo smutno ruszał rytmicznie dolną szczęką, mecenas zaś jakąś głuchą czkawką dawał wyraz swojej obłąkanej radości. Kiedy zaś wszyscy trzej osłabli, spojrzeli na siebie dość groźnie, badając się wzajemnie, dlaczego się właściwie śmiali; ponieważ zaś żaden nie mógł dotrzeć do ścisłego motywu, zaczęli się śmiać raz jeszcze. Potem rzekł mecenas:

— Pan się nazywa Bończa?

— Może to panu nie jest przyjemne, to mnie pan nazywaj inaczej.

— Nic nie szkodzi, ale ja znałem jednego Bończę, który bardzo dawno umarł.

— Biedny człowiek!

— Raz Bończy śmierć — rzekł głucho Szczygieł i zamyślił się.

Postanowili wreszcie wypić zdrowie tego nieszczęsnego Bończy, który umarł, idiota, i kazali podać szampana.

Nie ma bardziej serdecznych przyjaźni niżli te, które zostały zawarte przy zupełnym zaniku przytomności, człowiek bowiem władający na trzeźwo wszystkimi władzami rozsądku rozsądnie uważa najszlachetniejszego nawet ze swoich bliskich za opryszka, i nawzajem. Przyjaźń tedy, zawarta na trzeźwo, jest zazwyczaj zawarta na podstawach następujących: „ma on mi szkodzić, to lepiej już z takim złodziejem żyć w przyjaźni..." Tacy rozsądni ludzie mówią sobie potem „ty", całują się serdecznie, nigdy nie patrzą sobie w oczy i obmawiają się z całym serdecznym wylaniem.

Przyjaźń zawarta pomiędzy mecenasem, Eustachym Szczygłem i Saturninem Bończą (co za imiona i nazwiska powymyślali sobie te bałwany!) była bezinteresowna i na żadnym wyrachowaniu nie oparta, gdyż po kilku już nawet godzinach tej serdecznej wymiany myśli ciągle jeszsze żaden z nich nie wiedział dobrze, jak się drugi nazywa.. Była już zapewne czwarta rano i tylko goście uparci siedzieli w knajpie, kiedy Bończa ze Szczygłem zaczęli sobie mówić po imieniu i byliby się już dawno serdecznie ucałowali, nie mogli się jednak objąć, bo, zdaje się, ruch ziemi wciąż ich rozłączał. (Rzecz prosta, że nie pochwalam takiego nadużycia alkoholu i wolałbym, aby moi bohaterowie pili potrójne mleko albo kumys, co jest podobno napojem zdrowym i orzeźwiającym, z drugiej jednak strony żaden z ludzi pijących mleko nie był — niestety, wart wzmianki nawet w kronice policyjnej, cóż dopiero w książce, która ma zamysły bogobojne i może być czytana w chwilach duchowej prostracji!)

W tym okresie, poprzedzającym wschód słońca na niebie i zwiastującym zachód przytomności Saturnina Bończy, człowiek ten nagle bardzo się rozgadał; upijał się widocznie na smutno, co dowodzi wielkiej subtelności duszy i pewnej melancholii żołądka, bo nagle pochylił głowę na piersi i zaczął mówić głosem, który by w zwyczajnym czasie rozdarł serce słuchacza na cztery części.

— Ty, człowieku, jesteś malarz, pan jest mecenas sztuki czy inny hrabia... A kto ja jestem? Widmo! Kto ja jestem? Upiór... Strach pomyśleć, kto ja jestem!

— Ha! — rzekł Szczygieł.

Bończa spojrzał na niego smutno.

— Dziękuję ci za ten płacz nade mną — rzekł — tak! bo nade mną trzeba płakać! Mnie już jednak żadne łzy nie odkupią, ja jestem człowiek zgubiony.

— Napij się, to ci ulży — rzekł mecenas.

— Mnie już nic nie ulży, a wino najmniej. Ja się zresztą nie mogę upić!

Towarzysze spojrzeli na niego ze zdumieniem, ponieważ jednak nie byli zdolni do żadnego wysiłku, szybko więc przestali się nawet dziwić.

— Wy jesteście naiwni ludzie — mówił Bończa. — Siadam z wami, a wy nie spytaliście nawet, kto ja jestem i czym przypadkiem nie uciekł z więzienia. Szczygieł, jak myślisz, czy ja nie mógłbym być mordercą?

— Z całą pewnością! — rzekł Szczygieł.

— Otóż to! Popatrz na moje ręce, widzisz?

— Miga mi się, ale widzę...

— Czy te ręce mogą zamordować człowieka?

— Owszem... to są ręce złodziejskie...

Bończa chciał się rozpłakać i mówił:

— Niech ci Pan Bóg zapłaci, Szczygieł, ja dawno wiedziałem, że jesteś mój przyjaciel.

Jakiś gość przysiadł się przy stoliku obok stojącym i sączył samotnie jakąś butelczynę; Bończa nie zważając zaś, czy go kto słucha, czy nie, opowiadał płaczliwym głosem, ale z akcentem takiej prawdy i z akompaniamentem gestów tak wyrazistych, że warto było słuchać! Zdawało się nawet, że szklane jego, bezbarwne oczy dziwnie się ożywiły, kiedy pochyliwszy się nad stołem i patrząc w przestrzeń, począł mówić. Najpierw był dość długi wstęp, przerywany czasem ponurym trylem Szczygła, potem zaś Bończa zdławił jakoś dziwnie głos i gadał:

— ...Ja byłem do niedawna człowiekiem uczciwym i szpada ojców moich nie splamiła się niczym złym, pióropusz ojców moich (!) powiewał na wietrze biały i dumny. O, pióropuszu, o, szpado! Ale wy nie znacie mojej familii. Szczygieł, ty nigdy nie znałeś mojej familii — o, jaka szkoda, byłbyś mi pomógł... O, jaka szkoda!...

— Szkoda! — rzekł Szczygieł.

— Słuchaj, ja ci wszystko opowiem. Co mam ukrywać? Stało się, więc się stało... Na moich rękach jest krew, w oczach mam krew, na mózgu opar krwi. Długom się wahał, a to była męka... Chcieć coś uczynić, wiedzieć, że się to musi uczynić, i nie móc... Szczygieł, to jest straszne!

— Nie próbowałem — rzekł głucho malarz.

— To ciekawe — rzekł mecenas pijany na wesoło — gadaj dalej!

— Może myślicie, że nie powiem? Właśnie, że powiem... Za granicę mnie chcieli wysłać, złodzieje. Familia, bogdaj ich Pan Bóg pokarał, ale nie z głupim sprawa... Łotr jeden, mojej matki i ojczyma zausznik, naplątał wkoło mnie... Dałem mu za swoje! Przede mną ukryć się nie mogło nic, wolę miałem słabą, ale oczy jak szpady, oczy wariata, który nie był wariatem, oczy mędrca, który widzi do środka ziemi. Szczygieł, wiesz co, bracie? Są rzeczy na ziemi i na niebie, o których się nie śniło filozofom!

— Słyszałem — powtórzył Szczygieł.

— Chcesz wiedzieć, com uczynił z tym łotrem?

— Gadaj!

— Zabiłem!...

— To ciekawe! — rzekł mecenas. — Cóż on na to?

— On? Nic... upadł, a ja kopnąłem trupa.

— Dobrze upadł?

— Bardzo dobrze. Ten umiał umierać, ale z resztą szło gorzej. Ten łotr miał córkę, którą uwiodłem. O, Boże, jak ja bardzo kochałem tę dziewczynę. Jak strasznie kochałem... jak strasznie...

— Co się z nią stało?

— Zwariowała przeze mnie — rzekł rozdzierającym głosem Bończa i zaczął płakać rzewnie; uspokoił się jednak szybko i począł mówić gorączkowo: — Ale to nic. Cóż jest kobieta? Słowo! Jedna mniej, jedna więcej, ale tu nie o nią szło, lecz o ojczyma, o złodzieja pierwszej klasy, który był przyczyną śmierci mego ojca, który mnie ograbił; który z matką moją płodził rozpustę, który... — o łotr, łotr, po trzykroć łotr!

— Świnia! — rzekł Szczygieł.

— Tyś mnie zrozumiał. Tak, to był potwór... Ale Pan Bóg dodał mi sił i stało się...

— Coś mu zrobił?

— Zabiłem. Ani jęknął... Uderzył rękoma powietrze i zwalił się... Chciałem w jego krwi umyć ręce, alem tego nie zrobił, bo to za grube. O, przyjacielu! Com ja się nacierpiał, com ja się nadręczył. Wreszcie wczoraj wieczorem załatwiłem rachunki. Szczygieł, czemuś ty tego nie widział! Szczygieł, przyjacielu, przyjdź, kiedy będę mordował kogo, przyjdź, a będziesz miał biesiadę. Przyjdź jutro, jutro zamorduję własnego syna... Dziś piję, bo mnie dręczy zbrodnia wczorajsza... Upiłem się krwią.

Gość, który siedział przy stoliku obok, powstał blady, przystąpił do nich i rzekł głośno, aż echo poszło po sali:

— W imieniu prawa aresztuję was.

Takiej sensacji dawno nie było. Mecenas, Szczygieł i Bończa, wziąwszy się pod ręce szli pod strażą agenta, każdy zaś na swój sposób ryczał ze śmiechu. Cynizm ten oburzył nawet policję. Kiedy ich stawiono przed komisarzem, dialog był następujący:

— Panowie są pijani!

— Z łaski bożej, tak — rzekł smutno Bończa.

— Jak się pan nazywa?

— Saturnin Bończa, z przeproszeniem Waszej Ekscelencji.

— Jak to? Czy słynny aktor?

— Żadna praca nie hańbi. Czy ja mam pretensję do pana o pański zawód?

— Pan przyznał się dziś głośno do morderstwa?

— Jam jest.

— Ci panowie słyszeli?

— Najdokładniej — rzekł mecenas.

— Znacie całą sprawę?

— Każdy inteligentny człowiek znać ją powinien.

— Pan ją też zna? — rzekł komisarz do Szczygła.

— Mało, jestem śpiący... — odpowiedział ten ponuro.

— Kogo pan zamordował? — zapytał urzędnik uroczyście.

— Jego Wysokość króla Danii.

— Co takiego?

— Mogę pana jednakże zapewnić, że poszliśmy potem razem na piwo i że nie miał do mnie o to najmniejszych pretensyj.

— Czyś pan oszalał?

— Ja nie, tylko Ofelia, ja udawałem wariata.

— Co to wszystko razem znaczy?

— To znaczy, że pański agent jest człowiekiem mało wykształconym i nie zna *Hamleta*. To bardzo smutno. Nieprawda, Szczygieł?

— Jestem oburzony — odrzekł malarz.

— Powiedz mu pan, niech idzie do klasztoru! — dokończył Bończa.

Całe miasto ryczało nazajutrz ze śmiechu, swoją drogą biedny Bończa Hamleta od tego czasu grać już nie mógł, bo choć go grał doskonale, jednakże wspomnienie tej awantury odżywało za każdym razem, ile razy wyszedł w tej roli na scenę, bo naród zaczynał się bawić jak na operetce. Aktory zaś powiedziały sobie, że Bończa tak grał Hamleta, że go policja musiała zamknąć.

Jedno tylko było godne uwagi w tym wszystkim, że się tym starym dromaderom chciało urządzać takie idiotyczne kawały. Największy święty jednakże już na to nie poradzi, aby człowiek wolnego i niepopłatnego fachu, artysta jednym słowem od pióra, pędzla czy młota nie umilał sobie ciernistego żywota urządzaniem spektakli. Przypomnieliśmy sobie przy tej sposobności wszystkie nasze kawały, których by na wołowej nie spisał skórze, dlatego przede wszystkim, żeby się nie zmieściło, potem zaś dlatego, że były beznadziejne.

Pomyślał sobie każdy przy tej sposobności, że uczciwe życie tyle jest warte, ile człowiek zrobi głupstw podczas jego trwania, lekkomyślności miłych i nikogo nie krzywdzących; podwiązać sobie zęby kraciastą chustką i żreć melancholię na surowo to każdy potrafi, aby złości życia jednakże zaśmiać się w sam pysk plugawy, na to trzeba odwagi. Podobno dlatego życie tak nie znosi artystycznej hołoty. Życie wygląda czasem jak opuchły dorobkiewicz z grubym, apoplektycznym karkiem byka, syty i arogancki — jakżeż więc może uczciwy człowiek przejść obok takiej figury spokojnie?... A czasem to aż złość bierze.

Co komu taki nieszczęśliwy Szymon Chrząszcz zawinił, aby się na niego wszystkie waliły nieszczęścia? Muchy nie zabił w swoim życiu, dzielił się kawałkiem ostatnim chleba, serce by rozkroił na połowę, gdyby czego innego już dać nie mógł, i co miał za to? Trzydzieści dwa lata chodzi głodny, bo ma wielki talent, chodzi obdarty, bo nikogo nie obdarł, a kiedy się biedakowi zdawało, że dopłynął do szczęśliwej przystani, gdzie go oczekiwać miała kochana z całej duszy kobieta — przestrzelił sobie tylko płuco na wylot. Charczał długi czas, tak że się zdawało, że wypluje z krwią to nieszczęśliwe serce, które nawet kula ominęła; posiwiały mu włosy na skroniach, oczy uciekły w tył, ręce mu drżały nieznośnie.

Miał biedak za swoje. Uczciwy malarz to się nawet porządnie zastrzelić nie może, bo taki już jego los. Jakiś złodziej burżuj, który się dla sensacji strzela, to ma przynajmniej wspaniały rewolwer i rozsadzi sobie głowę jak na zamówienie, precyzyjnie i bez wielkich oszpeceń, bo gdzieżby się oszpecił taki, który miał głowę dla fryzjera, aby i fryzjer czasem miał pociechę. A biedny Chrząszcz strzelał do siebie z jakiejś zardzewiałej maszyny, dobrej do strzelania kotów, z jakiejś kolubryny, dobrej do rozsadzania skał albo do robienia wielkiego wrzasku na cześć boską podczas wielkanocnej sumy. Naturalnie, że sobie podziurawił piersi, wyrwy jakieś nieznośne porobił w płucach, wytoczył ze siebie ze trzy beczki krwi, ale się przecież nie zastrzelił. Naturalnie! Przecież jest biedny malarz... Bogdaj to wszyscy diabli!

Strach pomyśleć, co się z tym człowiekiem stało! Pierwej, kiedy się nawet lekko zirytował, rzucał krzesłem na dziesięć kroków, dębową szafę obalał jednym wspaniałym kopnięciem, bramę potrafił otworzyć samym naciskiem głowy. Pamiętam, jak przez ogrodowy parkan przerzucił między bzy i jaśminy policjanta tylko dlatego, że mu się z twarzy mocno nie podobał; on to był, który napotkawszy na ulicy ogromny wóz meblowy, stojący bez dozoru w nocy, zatoczył go na policję z prośbą o przechowanie, z obawy naturalnie, aby go kto nie ukradł. A teraz co? Siedzi smutny człowiek z głową opuszczoną na piersi i udaje czasem, że się uśmiecha, bo poza tym kaszle, kaszle i kaszle.

Żył marnie, przyjąć od nikogo niczego nie chciał, sam zarabiał mało. Malował wprawdzie wiele, lecz ani tego nie sprzedawał, ani nawet nie chciał pokazywać. W jednym rogu jego pracowni leżały całe stosy obrazów, których nikt prócz niego nie oglądał ani też nikt oglądać nie chciał wiedząc, że jeśli Chrząszcz ich nie pokazał, coś pewnie w tym ma, aby ich nikt nie widział.

Dwa lata minęły od tej strasznej nocy, kiedy to Szymon chciał się rewolwerem podpisać pod ostatnim ze swoich obrazów, i zdawałoby się, że to dość czasu, aby się wszystko w nim zabliźniło: serce, dusza, no i to płuco nieszczęsne. Gdzież tam! Serce i dusza to jego rzecz i myśleliśmy, że Chrząszcz, mocny chłop, zdrowe chamisko, da sobie z tym rady sam, bez naszej pomocy, że jednej jakiejś nocy, kiedy będzie miał trochę wolnego czasu, pogada z nami na osobności w cztery oczy i rano wstanie wesoły, i gwiżnie na wszystko wesoło jak lokomotywa, która jedzie do Włoch. O Chrząszczowe ciało postanowiliśmy się jednakże troszczyć wiedząc, że on się o nie nie zatroszczy. Co było w naszej mocy, to się uczyniło. Ja przychodziłem od czasu do czasu do Chrząszcza i opowiadając mu wesoło o tym, jak jedna znajoma aktorka, poczuwszy się w błogosławionym stanie, rozpisała listy do wszystkich znajomych z zapytaniem, kto właściwie poczuwa się do obowiązku przyjęcia na siebie winy ojcostwa, jak jeden rzeźbiarz napluł na wystawie na swoją własną rzeźbę, która była podobna do rzeźby jego przyjaciela, co go zmyliło — o tym rozprawiając i o owym — zamiatałem mu pracownię, za co Chrząszcz dziękował mi smutno się uśmiechając.

Szczygieł więcej uczynił. Na tym piętrze, na którym mieszkał Chrząszcz, mieszkała jakaś hołota, która miała służącą; Szczygieł tak potrafił przemówić do tego kloca, że Chrząszczowi gotowała herbatę i przyszywała mu guziki, w zamian za to Szczygieł przysięgał jej uroczyście, że się z nią najformalniej ożeni, czeka tylko, aby umarł jego wuj, stary bardzo hrabia, który by na to małżeństwo nigdy nie pozwolił. Jak takie długie opowiadanie Szczygieł wyraził ludzką mową, tego nie wiem, sądzę, że poza słowami musiał na zadatek małżeństwa użyć też jakichś wymownych gestów, bo ten nieszczęsny kloc uwierzył i niemal własnym mlekiem karmił naszego przyjaciela.

Wszystkiego tego jednakże było za mało. Widać to było w tej chwili, kiedy Chrząszcz ćmiąc jakąś fajkę siedział jak człowiek wcześnie postarzały, z jego zaś spojrzeń ktoś tak dobrze go znający, jak my, wyczytał zaraz, że się w nim tli jakaś smutna, cicha zazdrość, kiedy patrzy na całe zgromadzenie wrzaskliwe, pogodne, wesołe i beztroskie. Patrzył, patrzył i dumał. Poczciwy aktor i stary kawalarz, Saturnin Bończa, przysiadł się do niego i z obłąkanymi ruchami rak i nóg opowiadał mu zwariowane rzeczy:

— Czemu pan jest taki smutny? Taki młody, a smutny. Panie Chrząszcz, co ja mam dopiero mówić, ja, którego niedawno ugodził cios w serce zadany rękoma własnych dzieci?

— To pan ma dzieci? — zapytał Chrząszcz łagodnie.

— Ja? dzieci? Właściwie to je miałem, teraz już nie mam. Przekląłem wszystkie prócz jednej z córek moich, która umarła...

Szymon spojrzał na niego z serdecznym współczuciem.

— To panu umarła córka? Mój Boże!

Ten stary bałwan, Bończa, sam się zasmucił zupełnie szczerze.

— Niech panu rękę uścisnę za współczucie, bo mnie nikt dotąd nie pożałował. Tak, panie Chrząszcz, umarło biedactwo na moich rękach, a umierała tak ładnie, że dostała brawo!

— Co takiego? — zdumiał się malarz.

— Dostała brawo. W naszej rodzinie to już taki zwyczaj. Ale przedtem, co to było przedtem! Myślę sobie: stary jesteś, Bończa, więc nie duś pieniędzy! Bo i na co mi złoto w moim wieku, niech pan sam powie! Wołam więc moje trzy córki i powiadam: bierzcie, dzieci, bo pieniądze to jeszcze nie szczęście; ale najmłodszej z rozmaitych powodów nie dałem szeląga i Pan Bóg mnie za to pokarał...

— Jakżeż to? — pytał rozciekawiony Chrząszcz — tak pan uczynił?

— Powiedziałem panu jednak, że mnie Pan Bóg pokarał, i słusznie. Przyjechałem później do jednej, co wzięła majątek, i to bydlę wyrzuciło mnie z zamku...

— Jak to z zamku?

— Z zamku, bo miała zamek. Przyjechałem do drugiej, a ta robi to samo. Wtedy — o, wtedy, panie Chrząszcz...

— Cóż wtedy?

— Wtedy zwariowałem w lesie.

Chrząszcz, który ciężko na ogół pojmował, przecież pojął, że poczciwy Bończa opowiada mu na swój sposób *Króla Leara,* więc powiada:

— Zwariował pan? Zdaje się, że pana to jeszcze zupełnie nie odeszło.

— Niech Bóg zapłaci za dobre słowo. Wtedy także dostałem brawo — rzecze Bończa i poszedł komuś opowiadać zdarzenie „z własnego życia" — treść *Ryszarda III.*

Szymon chciał się uśmiechnąć, ale zdaje się,

że go coś przy tym wysiłku zabolało, bo się skrzywił nieznośnie.

— Boli? — spytał cicho Szczygieł.

— Nie, wesoło! — odrzekł mu Szymon jego stylem i przymknął oczy.

Szczygieł patrzył na niego długo serdecznym, poczciwym wzrokiem, westchnął i odprowadza mnie na bok.

— Widzisz?

— Widzę.

— Źle...

— Bardzo źle, Boże, Boże drogi!

Mroczno nam się uczyniło na duszy i wszystko nam nagle obmierzło, ludzie i sprzęty. Zacny Bończa, który właśnie kogoś mordował w malowniczej swej opowieści, wydał nam się nudny, krzykliwy malarz z kozią bródką, opowiadający o tym, jak to on raz goły poszedł na bal, wydał nam się idiotyczny — zresztą zmrok zapadający legł nam na duszę ciężkim oparem. Na dworze rozsiadła się w błocie złośliwa, opryskliwa, nudna jesień, wiatr zaś, jej małżonek, targał się we wściekłej pasji, w wieczystej z nią kłótni i nie mając na kim wywrzeć złych swoich humorów, chwytał biedne, sieroce drzewka za włosy i targał nimi jak wściekły. Pogoda była w sam raz dla wisielców.

Nie było potrzeba wypraszać gości, bo w filozoficznym zbiorze uwag o poetach, malarzach, rzeźbiarzach i kobietach lekkiego autoramentu to także należy zanotować, że wyzwolony członek jednego z takich wyzwolonych fachów za żaden majątek nie usiedzi w uczciwym domu od tej chwili, kiedy na ulicy zapalą dychawiczną latarnię. W knajpie będzie siedział, bo to się nie liczy, poza tym jednak w żadnym zamkniętym lokalu; może być deszcz, zawierucha, Sodoma w powietrzu, Gomora na ziemi, to nic, taki jeden z drugim okręci się w jakąś imitację płaszcza i będzie łaził po deszczu i błocie. Znając dokładnie ten solidny szczegół z psychologii naszych braci, byliśmy pewni, że się nam za chwilę lokal opróżni, co się też stało dokładnie, jakby po zapaleniu pierwszej latarni na ulicy podawano bezpłatną kolację z szampanem.

Zostaliśmy we trzech u Szczygła, ja w tej niczym nie uzasadnionej nadziei, że u przyjaciela malarza, nagrodzonego złotym medalem, znajdzie się przecież coś do zjedzenia, inaczej za co — pytam — szympansowi temu dali takie odznaczenie? Chrząszcz widocznie nie chciał wychodzić z innymi, teraz jednak podniósł się z trudem, podniósłszy się zaś począł kaszlać chrapliwie. Dla człowieka ze zrujnowanym płucem, z którym się tam coś wieczyście działo nowego, najstraszliwszą porą była wiosna i jesień, a do tego jeszcze jesień taka, jaka była tego nieszczęsnego roku: zaplugawiona, przemokła od deszczu, wściekła, już bardzo późna, która w bezrozumnej irytacji i w szale niszczenia wszystko mieszała z błotem jak zła jędza, która sama niepiękna ciska w błoto resztki dobrej sławy minionej wiosny, złote liście z zawiści i z zazdrości, że ktoś piękny jest na świecie.

Kaszel męczył Chrząszcza tak bardzo, że bladł jak trup, a na czoło wychodził mu pot zimny, jadowity, złowrogi. Teraz właśnie zbladł tak śmiertelnie i zachwiał się na nogach.

— Usiądź, Szymuś! — rzekł cicho Szczygieł.

Chrząszcz usiadł i patrzył na nas przerażonym wzrokiem. Bał się, biedaczysko, abyśmy przypadkiem nie dostrzegli, że pluje krwią. O, biedaku najdroższy!

Zaczął mówić z trudem.

— Ja jestem zdrów... sami przecież widzicie... bardzo zdrów... I spieszę się, bo mam robotę w domu.

— Przy lampie nie będziesz malował — rzekłem.

— Nie znasz się na tym, właśnie że będę. Prawda, Szczygieł, że można malować przy lampie?

Szczygieł nic nie odpowiedział, tylko spojrzał na mnie porozumiewawczo. Potem z energią, jakiej nie można się było w nim spodziewać, przystąpił do Chrząszcza, spojrzał mu głęboko w oczy i rzekł:

— Zostaniesz!

— Nie mogę, przysięgam, że nie mogę...

— Zostaniesz — rzekł twardo Szczygieł.

— Powiedz ty, że nie mogę! — szepnął Szymon zwróciwszy się do mnie po pomoc.

Z kolei ja nic nie odpowiedziałem, bo czasem słowo dławi człowieka jak kość twarda i zadzierzysta.

— Zostaniesz! — wyrzekł Szczygieł po raz trzeci — Chrząszcz, patrz mi w oczy!

— Po co? traktujesz mnie jak dziecko...

— Ja wiem, po co. Chrząszcz, jadłeś dzisiaj? Szymon się żachnął, zdawało się jednak, że pobladł jeszcze więcej.

— Nie tylko jadłem, ale się objadłem. Co to za pytania! — dodał ciszej.

— Mądre pytania. Jadłeś?

— Mówię ci, że jadłem.

— Co?

— Nie pamiętam... Coś tam jadłem... Dajcie mi pokój — prosił łagodnie jak dziecko.

— Daj słowo, żeś jadł.

Szymon opuścił biedną swoją głowę na piersi i rzekł cicho:

— Mało, ale jadłem...

— Daj słowo!

W tej chwili ozwał się cichutko szept podobny do jęku:

— Nic nie jadłem...

Chryste Panie! — jęknęło nam w duszy. Szczygieł zaś pytał z dziwnym trudem, udając srogość, która się wciąż zaczepiała o łzy jak o ciernie.

— Długo?

— Trzeci dzień — odpowiedział szeptem Szymon i podniósł na nas swoje oczy tak biedne, tak ciche i tak spalone gorączką, cierpieniem i głodem, że patrzeć nie można było na nie, na oczy tego cudownego malarza, który talentem przerósł milion, a sercem przerósł siebie.

Cisza była w tej chwili wśród nas taka, że słychać było najwyraźniej głuchy świst w piersiach Chrząszcza i siek drobniutkiego deszczu na szybach. Ciemno było, więc nie przysięgnę, że widziałem, przysiąc jednakże mogę, że się dwie wielkie łzy ukazały w poczciwych oczach Szczygła; dziwny człowiek! Gdyby jemu samemu ucinali prawą rękę, którą malował, to by się pewnie przypatrywał najspokojniej, robiłby swoje ponure dowcipy i pytałby pewnie chirurga, czy ma się ułożyć inaczej na operacyjnym stole, aby chirurgowi było wygodniej. A teraz płakało stare chłopisko, długie jak sosna, twarde jak żyła, i oddychało tylko ciężko.

Po chwili jednakże usłyszałem pierwsze i ostatnie w życiu dłuższe przemówienie niemowy Eustachego Szczygła. Mówił cicho, lecz dotkliwie; zdawało się, że każde słowo z osobna przypływa do ludzkiego serca, złotym swoim dźwiękiem je otwiera i wchodzi w nie tak dobrym jak dobroć sama. Dziwna to była mowa.

— To ty myślisz, Chrząszcz, że przyjaciel to jest pies, prawda, zły, rudy pies? Przecież tak myślisz? Naturalnie! Po co będziesz szedł do przyjaciela, kiedy to pies? Ja bym także nie poszedł... Pewnie! pewnie... Ale bogdajbym skonał, gdybym tak miał pomyśleć... Ty to tam jesteś mądry, wiesz, co robić! Naturalnie, że wiesz... Może nie? Trzy dni nie jeść, to przecież bardzo zdrowo... Głowę bym ci rozbił chętnie za takie gadanie!... Oj, Matko Boska! Toż to są złodziejskie kombinacje! I tobie nie wstyd? Chrząszcz, gadajże do stu tysięcy diabłów, czy tobie nie wstyd? Gadaj, bo się wścieknę! Przecież jakaś poduszka u mnie jest, przecież ten medal parszywy bym sprzedał. A ty zaraz hrabia! Pewnie... pewnie!... Szczygła będziesz prosił! Szczygieł, sprzedaj poduszkę! Jak można? A ja bym sobie z trumny poduszkę wyjął i sprzedał, abyś miał co jeść... Ja bym dla przyjaciela... Chrząszcz!... na miłość boską, nie dajcie mi mówić, bo się zirytuję... Szymek, coś ty najlepszego zrobił? Chrząszcz! Ot, tom się doczekał. Medal dostałem... Bogdaj ich paraliż z tym medalem. Szymon, czemuś nie przyszedł, czemuś nie powiedział!?

— Nie śmiałem — szepnął Chrząszcz ostatkiem głosu.

— Nie śmiałeś? — krzyczał już Eustachy — nie śmiałeś? Może ci mój sekretarz powiedział, że nie przyjmuję? Nie śmiałeś? Słuchaj, on nie śmiał!

— Ty już dla mnie tyle...

— Co ja dla ciebie? Bredzisz czy co? To ja mam jeść, kiedyś ty nie jadł?... Toż ja się dziwię, żem się nie udławił, kiedym jadł. Och, Szymek, Szymek!

Dyszał ciężko Eustachy Szczygieł wzruszony do szpiku kości; wzruszyło go i to także, że wygłosił nieprawdopodobnie długą mowę, z której pojedyncze słowa, użyte z rozumną oszczędnością, byłyby mu wystarczyły na jakie trzy lata do utrzymywania stosunków z ludźmi. Oparł się o ścianę i patrzył to na Chrząszcza, to na mnie, z czoła zaś lał mu się pot; widocznie ważył coś w duszy, bo się nagle poderwał, przystąpił do mnie i spojrzawszy mi w oczy rzekł cicho:

— Ja wychodzę...

— Dobrze! Jego mam nie wypuścić?

— Jeśli go tu nie zastanę, to cię zabiję.

— Bardzo słusznie — odrzekłem — kiedy wrócisz?

— Za godzinę.

— Niech cię Bóg prowadzi!

Szczygieł bał się widocznie nowej rozprawy z Chrząszczem, bo zbierając się do wyjścia ciągle odwracał głowę, potem już ubrany począł czynić jakieś niezrozumiałe strategiczne poruszenia koło drzwi, koło których niby czegoś szukał; nagle jednym skokiem znalazł się poza nimi. Nie byłem usposobiony do śmiechu, nie mogłem się jednak od niego powstrzymać obserwując tę cudownie prostą, poczciwą, kochaną naiwność naszego przyjaciela. Szło mu o to, aby Szymon nie spostrzegł, że on wychodzi, więc dlatego ten nieporównany dyplomata wałęsał się koło drzwi przez dziesięć minut z kapeluszem na głowie i z parasolem w ręku. Chrząszcz naturalnie widział to wszystko, zdaje się jednak, że mu zabrakło siły do protestu, spojrzał tylko boleśnie w stronę drzwi, kiedy Eustachy znikł za nimi. Zapytał cicho:

— Dokąd on poszedł?

— Zdaje mi się, że po naftę — zaraz wróci...

Zbliżyłem się do Chrząszcza i położyłem mu lekko rękę na głowie.

— Szymek! — rzekłem — toś ty naprawdę nie jadł przez trzy dni? Jeśliś nie chciał do Szczygła, to czemuś nie przyszedł do mnie?

— A ty sam wiele razy jadłeś przez ten czas?

Nie mogłem na to odpowiedzieć zbyt dokładnie, toteż zamilkliśmy na dłuższą chwilę, po czym starałem się łagodnie poprzeć gwałtowne wywody Szczygła. Powiadam więc:

— Wiesz, Szymonie, posłuchaj ty Szczygła... Po co będziesz marniał na tej swojej pustelni? Ja się tu także sprowadzę i będzie nam dobrze jak dawniej, i wesoło będzie jak dawniej.

— Wesoło nie będzie...

— Będzie! słowo daję, że będzie! A cóż to, starcy jesteśmy czy co? Zobaczysz, że odżyjesz. He, he! Szymonie, pamiętasz nasz bal?

— Pamiętam...

— Zrobimy teraz nowy, tylko wspanialszy, Szczygieł się od dwóch lat dopomina...

Mówiłem z Chrząszczem jak z dzieckiem, któremu się obiecuje nowego drewnianego konika, aby płakać przestało. On mi jednak odpowiada wciąż dziwnym głosem i smutno:

— Bal będzie, ale beze mnie...

— Jak może być bez ciebie?

— Będzie stypa...

Zaśmiałem się, ale tak jakoś dziwnie, że mi się samemu uczyniło strasznie po tym śmiechu. Mówiłem więc z tym humorem, który sobie ze smutku wyrywa włosy:

— Ty, Szymek, jesteś zawsze wesoły, a to

najlepszy znak, żeś zdrów. Toż ty byk jesteś, nie człowiek; co bym ja dał za twoje muskuły! Ej, Szymonie, pawianie jeden! Zobaczysz, co my tu z ciebie zrobimy... Goście co dnia, co dnia bal!... Bończa jest do takiego interesu doskonały — co? Jak ci się podobał ten stary histrion? Dobry chłop i wesoły... Potem, Szymciu, jak Pan Bóg da doczekać, ja sprzedaję powieść, wy ze Szczygłem sprzedajecie galerię i na wiosnę jedziemy do Włoch. Do wiosny napiszę, pomysł już mam...

— Napisz o moim małżeństwie — rzekł Chrząszcz.

Jednym skokiem starałem się wydostać ze wspomnień, których się bałem jak śmierci; spojrzałem z trwogą na Szymona, on zaś, jakby cały czas tylko o tym jednym myślał, patrzył gdzieś przed siebie w przestrzeń i coś tam w niej widział jak na wielkiej, przyciemnionej scenie, gdzie genialny aktor, mrok — lepił z siebie widma i węglem rysował jakiś dramat, co się kłębił w powietrzu przy cichej muzyce deszczu, szklanymi palcami grającego na szybach. Po chwili Szymon przymknął oczy i mówił cicho i tak dziwnie, że zdawało się, że zanim wypowie słowo, to mu się bacznie przygląda, czy dość ocieka krwią; miałem wrażenie, że sobie ten człowiek sam własną ręką ściska serce i że za chwilę zacznie wyć z bólu. Cofnąłem się pod ścianę, bo mnie dreszcz przechodził, ile razy spojrzałem na bladą, bledszą jeszcze w ruchomym mroku niż zwykle twarz najmilszego z przyjaciół, jakiego drugiego nie miałem w ubogim moim życiu. On zaś mówił:

— Napisz wszystko o niej i o mnie, ale przysięgnij we wstępie do książki, że to wszystko prawda, bo ci nikt nie uwierzy...

— Daj pokój, daj pokój!...

— Napisz, że byłbym sobie dla niej serce wydarł z piersi... że byłbym sobie głowę roztrzaskał na pierwsze jej żądanie... że byłbym matkę własną zabił, gdyby była tego chciała...

— Szymuś!

— Pamiętaj, nie zapomnij tak napisać... Możesz w moim imieniu przysiąc, że byłbym o wszystkim zapomniał, co było... Człowiek nie ma prawa sądzić niczyjej przeszłości... To może nie ona była winna, lecz matka... Ale potem, ale potem... Potem to ona za pieniądze... Och, Jezus Maria!... Mnie wysyłali z domu...

— Dość! — rzekłem czując, że ten człowiek oszaleje, jeśli będzie mówił dłużej — po co to wszystko tak długo pamiętasz?

— Będę pamiętał do śmierci! — powiedział Chrząszcz i rękę położył gwałtownie na serce.

Zastanowiło mnie to, że Chrząszcz, który zwykle mówił nieporządnie, niewymyślnie, po prostu, bez silenia się na szukanie jakiegokolwiek zaokrąglonego słowa, mówił teraz do mnie jak gdyby patetycznie, jak gdyby wygłaszał frazesy z roli dobrze umianej. W istocie dobrze ją umiał. Tych niewielu ciężkich, strasznych słów uczył się ten człowiek równo przez dwa lata i szlifował je własnym sercem w długich rozmowach z samym sobą, w swojej zimnej pracowni pod dachem, gdzie mieszkała z nim przyczajona rozpacz, smutek oniemiały i ślepy ból. Pojąłem teraz, że Szymon tam już wrócić nie może, i to za żadną cenę, dlatego po pierwsze, że sczeźnie z głodu i z zimna, i dlatego po drugie, że oszaleje, jeśli nie będzie przy nim ustawicznie kogoś, co go gwałtem zwróci w inną stronę, aby patrzył przed siebie, nie poza siebie, gdzie zostało plugastwo.

Miałem wrażenie, że biedak nie chce wracać do siebie, że go tam wprawdzie coś ciągnie, lecz równocześnie trwoży się tej mroźnej samotności pod dachem, dokąd się jak nietoperze na opuszczoną wieżę złażą wraz z mrokiem wszystkie smętki, które wiatr jesienny z całego zwiewa miasta. Kiedy więc wiatr z deszczem bijący o szyby zgłuszył ostatnie echo pokrwawionych słów Chrząszcza, powiedziałem mu:

— Szymek, ułożone więc, że zostaniesz tutaj? Kiedy zechcesz, powrócisz do siebie, ale to ani dziś, ani jutro; będziesz siedział tutaj i malował. Namaluj Bończę jako Hamleta, kiedy w rękach trzyma czerep Yoricka; ja ci będę pozował do tej czaszki, doskonale, co!? Pamiętasz, jakem ci pozował do *Wisielca w parku*? Znalazłbyś taką drugą fizjonomię od szubienicy?

Myślałem, że się biedaczysko uśmiechnie, ale nie. Po chwili kurcz kaszlu znów go ułapił za pierś i złymi rękoma dławił go za gardło, pomyślałem, że gdyby go trzeba nawet przywiązać do łóżka, to go stąd nie wypuścimy.

W tej chwili z nocnej swej wyprawy powrócił Szczygieł obładowany jak wielbłąd w pustyni; przemokły był do nitki, bo, rzecz prosta, jak wyszedł z parasolem pod pachą, tak też z nim powrócił, ani na chwilę go nie otworzywszy, bo zapomniał na śmierć, że go ma przy sobie — tak zresztą było zawsze i nie było się czemu dziwić. Zdjął z siebie ładunki, spojrzał na Chrząszcza, potem na mnie; porozumieliśmy się wzrokiem i zatwierdziliśmy jednogłośną uchwałę, że choćby nam przyszło użyć siły, Szymon już stąd nie wyjdzie.

Po chwili rozbłysło światło w salonach Szczygła, okno zostało zakryte bardzo słonecznym, wielkim obrazem, samowar, oddany w doświadczone moje ręce, zadymił, zasyczał, po czym parsknął wspaniale jak rasowy rumak, który chce zrzucić jeźdźca, gwizdnął przez nos kurka, chcąc mnie odstraszyć, stęknął głęboko z rezygnacji i rozpoczął wreszcie szemrzeć już jednostajnie, ułagodzony, widząc, że z mistrzem sprawa. Szczygieł, sprawny jak *maître* wielkiego paryskiego hotelu, ubierał stół do uczty, w której mieli wziąć udział trzej królowie; ku memu niesłychanemu zdumieniu i wprost nieprzyzwoitej radości wydobył ze swych juków butelkę wina, którą ustawił na środku placu jak wzniosłą kolumnę Vendôme, spostrzegł jednak ten obrzydły Kafr mój rozelśniony wzrok, bo zbliżywszy się do mnie zapowiedział mi szeptem:

— Matka Boska cię pokarze, gdybyś z tego wychlał choć kropelkę — wino jest dla Szymona!

— Słusznie! — odszepnąłem mu z całym przekonaniem i dlatego, żem miłował Szymona więcej, niżbym miłował brata, i dlatego, że wszystkie zaklęcia bogobojne miały na mnie niesłychany wpływ.

Po chwili, kiedyśmy spojrzeli na stół, pomyśleliśmy z wielkim przekonaniem, że niejaki Lukullus i niejaki Gamasz, to byli partacze pierwszej klasy, szewcy, a nie smakosze. Czy Lukullus jadł marynowanego w cebuli śledzia? Nie jadł, bo nie wiedział, co dobre. Czy Gamasz pożarł kiedy wianek serdelków? Gamasz był także bałwan! Żaden też z nich w niechlujnym i obżartym swym życiu nie zaznał rozkoszy, jaką daje umiejętne spożycie czarnej rzodkwi, którą się cokolwiek ogrzewa nad szkiełkiem lampy, co zalecają najpierwsi kucharze świata i najznakomitsze dzieła kulinarne, gdyż subtelne to danie jest w tym czasie zazwyczaj zmarznięte na kość. Nie wspominam już nawet o rozmaitych przepysznych dodatkach, jak prawdziwa herbata, mało, i to tylko dla tym milszego aromatu, mieszana z suszonymi wierzbowymi liśćmi, jak tytuń, jakiego z całą pewnością żaden dotąd nie palił sułtan, jak wreszcie ser szwajcarski, zaszczyt swemu macierzystemu przynoszący krajowi, choć go nigdy nie oglądał, tęsknotę zaś swoją wyrażał przez wydzielanie woni, które miały w sobie nawet cokolwiek zapachu szwajcarskich ziół i szwajcarskiej obory.

Szczygieł musiał zapewne, korzystając z niepogody, zatłamsić po drodze jakiegoś bardzo bogatego przechodnia, jeśli zdołał tego wszystkiego nakupić. Uczciwym sposobem porządny człowiek do takiej niesłychanej uczty nie dojdzie. Znać też było pewne wzruszenie na twarzy Szczygła i mojej, bo Chrząszcz nawet nie patrzył, jakie się nad stołem odbywają misteria, a jednak i on się zdumiał, kiedyśmy go uroczyście pod ręce go ująwszy doprowadzili do stołu.

— Szczygieł — rzekł — ty musisz być bardzo bogaty...

— Mam dobra na Ukrainie — odrzekł z powagą Eustachy.

— Jeszcześmy tam nie byli — dodałem — administrują jednak dobrze.

Ze zgrozą jednak patrzyliśmy, że mimo niesłychanej wystawności uczty Chrząszcz nie mógł jeść; wygłodzony był biedaczyna nieco ponad normę. Coś tam przełknął z trudem i wypił kieliszek wina. Nagle zauważyszy naszą wstrzemięźliwość powiada:

— Czemuż wy nie pijecie?

Szczygieł poczerwieniał i odrzecze:

— Doktór mi zakazał...

— Ja uczyniłem ślub — szepnąłem.

Chrząszcz spojrzał na nas uważnie i uśmiechnął się smutno; we wszystko mógł uwierzyć, tylko nie w to, aby Szczygieł gadał z doktorami, dla których czuł żywiołową pogardę, albo żebym ja czynił śluby. Widział, że wino jest tylko dla niego i że złodziej nie strzeże tak złodzieja, jak myśmy się obaj strzegli ze Szczygłem, aby się jeden nie wyłamał z poleceń lekarza, drugi zaś ze zobowiązań wobec Kościoła. Mimo to jednakże zaczęliśmy ze Szczygłem dokazywać jak dzieci, byle Szymona rozbawić; zdawało się nam przez chwilę, że wróciły dawne, dobre czasy, kiedy to sobie człowiek równo tyle robił z całego świata, co z dziurawego buta, do którego nie ma pary — złudzenie jednak znikało natychmiast, ile razy spojrzeliśmy na twarz Chrząszcza.

Ten człowiek musiał być bardzo chory i dokazuje jakichś cudów z mocną swoją wolą, że nie upada z krzesła, tylko się trzyma na nim, jak gdyby nic. Ale i do tego wysiłku przestał być zdolnym po chwili, kiedy dał sobą powodować jak dzieckiem: odebraliśmy mu przeklętą fajkę, z którą się nie rozłączał, po czym rozbierać poczęliśmy go do snu, on zaś, choć nie tak dawno groził, że za nic na świecie nie pozostanie i że musi wrócić do siebie — patrzył tylko na nas z wdzięcznością i słowa nie rzekł przeciw temu.

Szczygieł mógłby być najznakomitszą siostrą miłosierdzia w najznakomitszym szpitalu. Jak on cudownie umiał chodzić koło Chrząszcza! Ten długi człowiek, który, zdawało się, ma za wiele rąk i za wiele nóg, bo mu się to wszystko wciąż plątało tak, że sobie z tym rady dać nie umiał, ten człowiek, który czasem zapominał, gdzie mieszka, a nigdy jeszcze w życiu podczas deszczu nie otworzył trzymanego w ręku parasola — krzątał się cicho, na palcach, zręcznie i sprawnie, przysposobił łóżko, przygotował wszystko, potem ułożył Chrząszcza do snu lekko i miękko. Zacny Szczygieł!

Mnie ulokował na jakiejś katowskiej kanapie, sam zaś skonstruował sobie dziwne łoże na podium, na którym stały modele; całą noc jednakże oka nie zmrużył, bo ile razy Szymon westchnął lub jęknął, Szczygieł podnosił się bez szelestu i szedł ku niemu, długi jak duch, patrzeć, czy mu czego nie potrzeba.

Nazajutrz Szymon już nie powstał z łóżka. Sprzeczał się wprawdzie i kaprysił, groził, że przez okno wyskoczy, Szczygieł jednakże był z granitu, godził się na wszystko, przyznał Szymonowi z góry najzupełniejszą słuszność w wyborze drogi przez okno z szóstego piętra, radził mu nawet, żeby podpalił dom, a wtedy go jakiś strażak wyniesie na plecach — zapowiedział jednakże, że go przez drzwi nie wypuści, co było zupełnie prawdopodobne, gdyż przede wszystkim wyniósł gdzieś Szymonowy przyodziewek. Szymon został wzięty do niewoli podstępem.

Szczygieł zapowiedział mi znowu, że życiem własnym ręczę za Chrząszcza, gdyby chciał uciekać, i znowu gdzieś poszedł. Powrócił z bardzo uprzejmym człowiekiem w złotych okularach, który rozejrzał się najpierw bardzo ciekawie po pracowni, uśmiechnął się litościwie, potem usiadł koło łóżka Chrząszcza. Ten spojrzał na niego ponuro, bo się dorozumiał, że małpa Szczygieł sprowadził lekarza, nie pytając jego przedtem o pozwolenie.

My obaj staliśmy w oddaleniu, przy oknie, uprzejmy zaś lekarz rozpoczął dyskurs z Szymonem, dyskurs jednakże był tylko jednostronny, gdyż Szymon nie odpowiadał; staruszek uśmiechnął się na znak, że już takich widział, po czym nie zważając na zbójeckie miny pacjenta, przyłożył mu głowę do piersi; bałem się przez chwilę, że Chrząszcz odgryzie mu widoczne ucho, ale biedak, Szymon, nadrabiał tylko miną i raczej z przyzwyczajenia zapowiadał poczciwą swoją gębą, że Szymon Chrząszcz jest to dziki malarz, który konowałom nie da badać szlachetnych swoich piersi. Naprawdę jednak to miał dziwną trwogę w jasnych swoich, dobrych, niebieskich oczach wielkiego dziecka.

Lekarz powstał, Szymon zaś, chcąc widocznie ukryć strach, przymknął oczy, ale z taką miną twarzy, która miała oznaczać, że sobie straszliwie nic nie robi z tego, co się lekarzowi podobało znaleźć w głębi jego piersi. Staruszek podszedł do nas i mówił cicho:

— Czemuście mnie przyzwali tak późno?

— Późno? Czyżby aż tak?...

— Trzeba go było gdzieś wysłać. Ot, biedaczysko! W tym stanie nie dojedzie... On już nie ma płuc...

— Będzie żył? — zapytał Szczygieł tak cicho i z takim rozpaczliwym akcentem, że lekarz spojrzał na niego uważnie.

— Panowie są jego krewni?

— Nie — odrzekłem — przyjaciele...

— Ja za nic nie ręczę, ale może będzie żył. Uczynimy wszystko, żeby żył... Mój Boże!... organizm taki silny. Ja tu będę częściej przychodził. Żal mi serdecznie tego biedaka. Czy to malarz?

— Tak, to malarz...

— Och, naprawdę mi go żal. Do diabła! co pan robi!?

To Szczygieł chwycił rękę zacnego staruszka i do ust ją przycisnął.

— Niech go pan ratuje... to przecież przyjaciel...

Złote okulary szanownego starca cokolwiek się zamgliły, w rozumnych jego oczach pokazały się dwie łzy.

— O, gdybym go mógł uratować, gdybym mógł... To wy z przyjaźni, mój Boże! Są jeszcze ludzie na świecie... Pan Bóg z wami, ja tu będę wieczorem, lekarstw trzeba... Pieniędzy naturalnie nie macie, ale to nic, poczciwe chłopcy, jakoś to będzie... Przyniosę... Pilnujcie przyjaciela! Nie dawać mu myśleć!... Do widzenia, przyjaciele!

W tej chwili Szczygieł rzucił się na palcach w stronę, gdzie pod ścianą stały obrazki, porwał coś ze cztery i począł je wtykać staruszkowi pod pachę.

— Niech pan to weźmie! — szepnął.

Lekarz był tak wzruszony, że nie mógł mówić; spojrzał na Szczygła z takim rozczuleniem, z jakim patrzy dobry ojciec na dobrego syna. Wreszcie rzekł z trudem:

— Panie! Ja wezmę jeden z tych ślicznych obrazków... Wezmę, bo ile razy spojrzę na niego, to mi przypomni najsmutniejszą i może najradośniejszą chwilę... Ot, ten sad rozkwitły... Bóg was tak pewnie kocha, że wam ocali przyjaciela... Ja to wezmę!... Do widzenia, do widzenia!...

Odszedł szybko z obrazeczkiem pod pachą, odwracając twarz; wzruszyła go nasza nędza i złote serce Szczygła, który patrzył teraz z oddalenia na Chrząszcza z dziwnym wyrazem twarzy. Pojęliśmy obaj, że pociecha lekarza była po to, aby nie uderzyć w nas od razu piorunem. Czemu on pytał, czy jesteśmy Szymona krewnymi? Krewnym łoby był powiedział prawdę — przyjaciołom nie chciał.

Tak, tak, Szymonie najmilszy, raz już Szczygieł śmierć od ciebie odegnał krzykiem — dwa temu już lata — czy mu tylko teraz głosu starczy! O, przyjacielu drogi!

Po odejściu lekarza chory otworzył oczy i znów się rozpoczęła dziecinna gra dziecinnych kłamstw, którym by najłatwowierniejszy nie uwierzył człowiek.

— Kto to był? — zapytał Chrząszcz, choć przecie wiedział, że to lekarz.

— Ten stary, śmieszny człowiek? O tego pytasz?

— Nikt inny nie był...

— Więc o tego ci idzie... Mówić nie warto, jakiś maniak.

— Czemu maniak?

— Chciał ciebie koniecznie zobaczyć.

— Aha! mnie chciał zobaczyć — a czemu?

— Jemu się zdaje, że jest doktorem, a tobie się zdaje, że jesteś chorym.

— Szczygieł!

— Co takiego?

— Ty jesteś bardzo wesoły człowiek.

— Bardzo! — odrzekł z ponurym przekonaniem Szczygieł.

Była chwila ciszy, a potem znów taki dialog, jaki prowadzą marionetki, które nie są obowiązane do logicznego myślenia, nie umieją kłamać, a chcą to uczynić niezmiernie chytrze.

— Szczygieł! — szepnął znowu Chrząszcz.

— Co, Szymku?

— A czemuś ty jego całował po rękach?

Szczygieł pobladł i spojrzał na mnie wzrokiem błagającym o pomoc.

— Ja? — jąkał — ja jego po rękach?

— Tak, ty jego... widziałem...

— To ciekawe! — rzekł Szczygieł w rozpaczy.

— Powiedz, czemu?

— Przede wszystkim jest to niemożliwe...

— A jednak widziałem!

— Widziałeś? Ach, już wiem...

Spojrzałem i ja z ciekawością na Eustachego, czekając, co wymyśli, bo wiedziałem, że struś prędzej by wymyślił jakieś przyzwoite kłamstwo niż on.

— Już wiem — mówił — raz go widziałem w tramwaju...

— I co z tego?

— I takem się wzruszył ujrzawszy go teraz niespodzianie... Zresztą to jest daleki krewny mojej matki! O, tak! krewny matki! Teraz sobie przypomniałem!

Nawet biedaczysko Szymon się uśmiechnął

i już więcej nie pytał widząc, że Szczygieł wolałby być łamany kołem, niż odpowiadać na takie pytania; sprawiał on przy tej operacji, zmuszającej go do gadania, wrażenie nieszczęsnego człowieka, któremu zakrzywionym ostrzem wydzierają wnętrzności, korzystając tedy z pierwszej pauzy w dialogu, porwał jakiś dzbanek i szybko wyszedł po wodę.

Tego dnia pod wieczór zdarzyło się nam coś, co się jeszcze nie zdarzyło: przyszło do nas dwóch posłańców, z których jeden zapytał z szacunkiem, gdzie ma złożyć większą ilość drzewa, drugi zaś założył cały stół prowiantami i lekarstwami; były wśród tych prowiantów rzeczy, o których czytaliśmy w romansach, żaden z nas jednak nie wiedział dobrze, jak się to je. Radość naszą zmącił jedynie Szczygieł niemądrym zachowaniem się wobec posłańca, bo zamiast rzec mu: „połóżcie to tutaj, dobry człowieku!” — rzec mu to zaś z godnością gentlemana, którego stać na takie zakupy — Szczygieł wyściskał go ze wszystkich stron, zdaje się, że mu się nawet przedstawił, i z ukłonami wyprowadził zdumionego człowieka na schody.

Wszystko to przysłał nam poczciwy, dobry doktór, odpłacając się zapewne za ten wysmarowany olejem kicz Szczygła, którego bym sobie nie powiesił w grobie, bobym potem nie mógł zmartwychwstać ze strachu, że znowu ten obraz zobaczę. Właściwie to ja trochę przesadzam, bo obraz był doskonały, ale mnie złość wzięła na wszelki brak u Szczygła arystokratycznej godności. Doktór sam przyszedł już prawie w nocy, zmęczony bardzo i zmokły od deszczu; zapowiedział nam od progu, że jeśli który z nas wypowie jedno słowo podziękowania, to on pójdzie i nie wróci. Dobrze! Ale własne dzieci nie patrzyły chyba nigdy na niego takim serdecznym wzrokiem, z jakim myśmy patrzyli. Chrząszcz nawet, który miał wszelkie prawo, czyniąc użytek ze swych zasad, uważać lekarza za ciężkiego wroga, uśmiechnął się do niego i badając, czy żaden z nas nie patrzy, uścisnął mu silnie rękę. Staruszek powiedział nam po cichu, co mamy robić z lekarstwami, potem usiadł koło Szymona i znów go badał delikatnie i prawie że niewidocznie; rozgadał się poczciwina o tym i o owym, opowiadał, kogo leczy, co robi, co czyta; raz wspomniał moje nazwisko, a mnie wszystka krew uciekła z serca. Potem mówi:

— Panie Chrząszcz, był pan we Włoszech?

— Byłem...

— A chciałby pan być jeszcze raz?

Chrząszcz odpowiedział mu wzrokiem niezmiernie wyraziście.

— No, to ja panu coś powiem... Pan trochę kaszle, ale to jest dziecinna choroba. Poleży pan sobie trochę i wyśpi się, a na wiosnę pojedziemy obaj do Włoch. Ja tam parę rubli mam, to się podzielimy, a pan mi za to papieża pokaże. Dobrze?

Dwie jasne łzy w niebieskich oczach Szymona były odpowiedzią dość zrozumiałą.

— Upijemy się włoskim winem! — mówił szybko staruszek patrząc tkliwie na malarza.

— Barletta... — szepnął Chrząszcz.

— Co to takiego? wino?

— Wino...

— Niech będzie barletta... Ja bardzo nawet lubię to wino, choć go nigdy nie piłem. Więc co, zgoda?

Chrząszcz się uśmiechnął jak do niebiańskiego widzenia i szepnął:

— O, Boże! Boże!

— Tylko pilnować zdrowia, mistrzu kochany, zażywać lekarstwa, słuchać mnie i przyjaciół. Bo malarze to jest niesforny naród i nie da sobą kierować. Proszę tedy pamiętać, panie malarzu, że moim zastępcą jest tutaj pan Szczygieł i jeśli on się na pana poskarży, to nie będziemy pili tego wina, co się tak ładnie nazywa. Jak to się ono nazywa?

— Barletta!...

— Aha, właśnie! Teraz żegnam cały Olimp i życzę dobrej nocy!

Król tak by od nas nie schodził, jak ten nasz wielki przyjaciel, z takimi honorami; Szymon go odprowadzał jedynie uszczęśliwionym wzrokiem. Po chwili zaś miał dłuższą ze Szczygłem konferencję.

— Szczygieł, przyjacielu — mówił wskazując na lekarstwa — to ja to mam wszystko wlać do wnętrza?

— Wszystko!

— I potem będę zdrów?

— Będziesz, bracie.

— A jak to się pije?

— Łyżeczkę, co godzina.

— To głupio!

— Czemu głupio?

— Po co tak kropelkami? Ja jestem odważny... Ja to mogę wychlać wszystko od razu, bo szkoda czasu.

— To nie wino!

— Wszystko jedno, ja wypiję!

— Nie dam! — rzekł groźnie Szczygieł.

Chrząszcz spojrzał na niego z litością.

— I to się nazywa przyjaciel... Jutro się wyprowadzam!

Lecz się biedaczysko nie wyprowadził. Każdy następny dzień był gorszy. Na nic były lekarstwa, na nic ojcowskie starania przezacnego staruszka, na nic przechodzące pojęcie starania Eustachego — wszystko było za późno. Szymon marniał z każdym dniem i przez jakie dwa tygodnie od tego czasu słuchaliśmy z trwogą coraz większą oddechu Szymona, którego wciąż pokrywał zimny pot.

— Doktorze! — rzekł raz cicho — nie będziemy pili barletty...

Staruszek nic nie odrzekł, tylko odwróciwszy się począł przecierać chustką złote okulary.

— Nie dajcie mu myśleć o śmierci! — rzekł do nas szeptem.

Czyniliśmy tedy, co było w ludzkiej mocy; ponieważ Szymon nie mógł spać, siadaliśmy przy nim we dwóch wieczorem i godzinami całymi opowiadałem mu bajki jak dziecku. Głos mi się łamał, bo coś mnie wciąż chwytało za gardło, myśleć nie mogłem, a przecież mówiłem; wymyślałem niestworzone historie, awantury arabskie, byle tylko były wesołe. Czasem się więc w moich opowieściach targnął jakiś rozpaczliwy humor, słowa moje tarzały się od śmiechu, kiedy się spotkały, śmieszne, nieraz obłąkanie śmieszne, a z nas — nikt się nie zaśmiał. Chrząszcz nie mógł, bo go, zdaje się, przy każdym nawet uśmiechu w piersiach bolało nieznośnie, Szczygieł śmiać się po ludzku nie umiał, a ja — gdy się czasem ze swoich obłąkanych zaśmiałem konceptów — milknąłem w tejże chwili i patrzyłem ze strachem dookoła obszernej, mrocznej pracowni, patrząc, kto to się w niej w jakimś ciemnym kącie śmieje tak niesamowicie.

Jednego razu sprowadziliśmy Bończę, aby swoimi kawałami uradował duszę biednego Szymona. Poczciwy aktor napełnił cały lokal wrzawą i hałasem i począł pleść niestworzone rzeczy; opowiadał wszystkie możliwe dramaty na swój nieludzki sposób, śmiał się, krzyczał, jęczał, beczał, gadał i gwizdał, udawał wszystkich po kolei. My udawaliśmy, że się śmiejemy — Szymon zaś słuchał, lecz leżał nieruchomy, z twarzą z wosku, dyszał tylko bardzo ciężko, czasem zaś dziwnie przejmujący świst słychać było wśród oddechu.

Kończyło się.

Boże drogi, Boże miłościwy!

Zaczynałem się bać o Szczygła; chodził blady i jakby z krzyża zdjęty. Czasem, kiedy zdawało się, że Chrząszcz usnął, siadał przy nim i przez godzinę nie odwracał spojrzenia od jego zbiedzonej twarzy; w oczach miał wtedy taką rozpacz, czasem znów taką bezsilną wściekłość, że strach było patrzeć. Obaj ze Szczygłem już żeśmy prawie nie mówili — bo i o czym było mówić?

Mrok zapadł, a my milcząc siedzieliśmy przy Szymonie. Deszcz jesienny lał wciąż i mył od kilku tygodni szyby. Z dala dochodziła przytłumiona, głucha, tępa wrzawa miasta. Szymon oddychał nierówno. W te wszystkie głosy wplątywać się począł powoli głos inny, nadzwyczajnej piękności: to ktoś śpiewał. Głos był kobiecy i brzmiał gdzieś niedaleko, za którąś ścianą. Szymon go również usłyszał, bo lekko otworzył oczy i słuchał. Potem szepnął:

— Kto to śpiewa?

— Nie chcesz, żeby śpiewano?

— Chcę bardzo... bardzo...

Słuchaliśmy długo patrząc na twarz Szymona, którego ten śpiew miękki jakby gładził po biednej twarzy, bo się leciuchno rozjaśniła; kiedy zaś śpiew umilkł, on go jeszcze słuchał oczy znów przymknąwszy. Spojrzeliśmy na siebie ze Szczygłem i wiedzieliśmy, co czynić. Chodziłem nazajutrz po całym domu w poszukiwaniu tej śpiewającej. Pokazano mi jakieś drzwi na poddaszu; zapukałem nieśmiało i wszedłem; śpiewaczką była jakaś biedna, dobra panienka z jasnymi oczyma, która w pierwszej chwili przeraziła się moimi odwiedzinami.

Powiedziałem jej krótko:

— Pani! przyjaciel mój, malarz, umiera, kilka kroków stąd; usłyszał śpiew pani i lżej mu się uczyniło na duszy. Niech Bóg pani za to zapłaci... To jest człowiek bardzo nieszczęśliwy, a śpiew pani jest jak dobre słowo. Niech pani śpiewa jak najwięcej...

Panienka spojrzała na mnie smutno.

— Gdzie panowie mieszkają?

— Te same schody, drugie drzwi na prawo.

— Tam mieszka pan Szczygieł.

— My u niego.

— Pański przyjaciel bardzo chory?

— Bardzo, nadziei nie ma.

— Niech mu pan powie, że będę śpiewała...

— Dziękuję pani.

— ...i że mu życzę jak najlepiej...

— Dobrze! Powiem mu to... Jeszcze raz, niech pani Bóg zapłaci.

— Drugie drzwi na prawo?

— Tak, tuż obok strychu.

Tego dnia miał biedny Szymon szczęśliwą chwilę, bo słuchał oddalonego śpiewu przez cały wieczór, nazajutrz zaś po raz drugi już w tym krótkim czasie uwierzyliśmy w serce ludzkie; kiedyśmy znowu niemi siedzieli przy łóżku, ktoś cicho zapukał. Szczygieł powłócząc nogami poszedł otworzyć i zdębiał: we drzwiach stanęła ta biedna panienka, drżąca i zawstydzona. Poznawszy ją, położyłem palec na ustach dając jej znak, aby weszła cichutko; szepnąłem Szczygłowi, kto to jest, a on, spojrzawszy na nią tym wzrokiem, jakim się patrzy na dobre dziecko, nie rzekł ani słowa, tylko jej rączynę, igłami pokłutą, podniósł do ust. Panienka weszła na palcach, rozejrzała się po pracowni i zatrzymała wzrok na Szymonie, który nie otworzył oczu.

— To on? — szepnęła.

— On...

— Biedaczysko!...

Patrzyła długo na jego śmiertelnie bladą twarz, potem stanąwszy w oddaleniu poczęła śpiewać cichutko jakąś smutną, biedną piosenkę o tym, jak jakieś serce umarło z miłości, a dziewczyna ulitowawszy się nad nim położyła na nim swe ręce, białe jak lilie, i serce ożyło.

Patrzyliśmy w twarz Szymona; najpierw drgnęła, znieruchomiała znowu i powlokła się, jeśli to tylko być mogło, jeszcze większą bladością; słuchał długo, potem otworzył oczy jakby z trudem, jakby się bał podnieść powieki. Wpatrzył się następnie w jaśniejącą postać kobiecą i nie mógł od niej oderwać wzroku; zdawało się, że chce wysiłkiem podnieść głowę i nie może. Panienka, spotkawszy się z tymi oczyma, w których były wszystkie nieszczęścia, wszystkie bóle i wszystkie biedy, skończyła piosenkę głosem nieswoim, w którym była litość, przerażenie i ból.

— Niech pani nie śpiewa! — szepnął Szczygieł — jego widok kobiety...

Nie skończył, bo się rzucił ku Szymonowi, który omdlał. Ja wyprowadziłem panienkę, która nie widziała drogi przez łzy.

Od tego czasu nie słyszeliśmy już śpiewu.

We trzy dni potem Szymonowi uczyniło się lepiej; dał znak, że chce coś mówić, więc nachyliliśmy się nad nim, bo szept nawet bolał go widocznie.

— Niech jeden z was — szeptał — pójdzie do mojej pracowni...

— Dobrze, Szymuś — rzekł Szczygieł — ja tam pójdę.

— Są tam obrazy...

— Wiem, wiem... Przynieść ci?

— Tak...

— Wszystkie?

— Wszystkie...

— Już idę — mówił Szczygieł — lepiej ci?

— O, lepiej, lepiej!

Szczygieł poszedł do pracowni Szymona, ja z nim zostałem.

— Mój drogi — szepnął — zrób mi łaskę.

— Czego tylko pragniesz, bracie.

— Napisz wierszyk...

— Wierszyk?!

— Krótki, ale serdeczny... w moim imieniu...

— Dobrze, dobrze, a o czym?

— Do panienki... tej, która śpiewała!...

— Ile tylko zechcesz, ile zechcesz. Zaniosę jej i powiem, że ty jej przeze mnie dziękujesz.

— Tak... tak...

Po godzinie wrócił Szczygieł, a za nim niesiono stosy obrazów. Zauważyłem, że Eustachy jest zupełnie dosłownie przerażony.

— Co ci się stało? — szepnąłem.

— Nic, nic... zobaczysz!

Szymon kazał odsunąć firanki na górnych szybach i rozstawić swoje obrazy rzędem, tak aby mógł je widzieć wszystkie, a było ich około trzydziestu.

Spojrzałem i serce we mnie zamarło. Czyż to możliwe, czy ja nie oszalałem?! To ten człowiek po to się zmykał, aby to malować? O, Boże drogi! Na trzydziestu obrazach wymalował Szymon trzydzieści razy — swoją żonę, „Andziulkę". Przez dwa lata konał z głodu i nie sprzedał ani jednego obrazu, przez dwa lata malował tę twarz, na której rozświetlał podziwianą kiedyś przez nas słodycz spojrzenia, i przez dwa lata własnymi rękoma rozrywał bliznę, darł własne serce. O, Szymonie, Szymonie!

Staliśmy bladzi jak trupy, a on wpatrywał się obłąkanym wzrokiem w każdą twarz z osobna i do każdej się uśmiechał; czasem, kiedy wzrokiem napotkał roztęskniony, śliczny wzrok portretu, to aż oczy przymykał w rozczuleniu. Zapomniał zupełnie o tym, że my jesteśmy w pracowni, nie widział nas ani słyszał.

— Po coś to przyniósł? — szepnąłem do Szczygła.

Ten rozłożył tylko ręce w rozpaczy i patrzył z niepokojem na Szymona, z którym się działy dziwne rzeczy; na twarz, która była jak z wosku, wystąpiły ceglaste rumieńce, na czole miał grube krople potu; ręce miał złożone na piersi, jakby się modlił, wargi mu drżały też, jak podczas modlitwy.

Nie wiedzieliśmy, co czynić; żaden z nas nie

miał odwagi, by chwycić te straszliwe płótna i cisnąć je za okno, bo patrząc na dziwną ekstazę Chrząszcza, byliśmy przekonani, że on skoczy za nimi, choćby miał użyć ostatka sił.

Szczygieł zbliżył się na palcach do łóżka.

— Szymuś! — szepnął.

Chrząszcz nie odpowiadał.

— Szymuś, daj spokój... Po co to wszystko?

Żadnej odpowiedzi!

— Uczyniło ci się lepiej, a teraz będzie wszystko na nic...

Chrząszcz zamknął powoli oczy i pobladł; przechylił głowę i czuliśmy, że zasnął z takim dobrym i jasnym uśmiechem, że zdawało się: małe dziecko zasypia i śni mu się raj.

Chwyciliśmy go za ręce; uczułem lekki uścisk i serce we mnie zamarło. Z drugiej strony łóżka Szczygieł z twarzą bladą jak płótno patrzył rozszerzonymi oczyma na uśmiechniętą, przedobrą i dziwnie przez ten uśmiech jasną twarz Chrząszcza. Ja zaś ciągle czułem lekki, łagodny uścisk białej jak płatek jego ręki.

Tak mnie pożegnał najwierniejszy z przyjaciół, Szymon Chrząszcz, którego Bóg przyjął łaskawie, albowiem ten człowiek biedny był bardzo.

Bądź zdrów, Szymonie! bądź zdrów... Przebacz, że ci mącimy ciszę, ale to serce, nie ja... nie ja... A ten, co łka tak głośno, toż przecie Szczygieł, Eustachy Szczygieł....

Jak on śmiesznie płacze!

KONIEC

słowniczek

a k c y z a (z łac.) — podatek nakładany na niektóre artykuły spożywcze, przedmioty użytkowe, tu: urząd podatkowy

a r a n ż e r (z fr.) — organizator

a t r i u m (łac.) — w starorzymskim domu główna sala z górnym oświetleniem, tu: pracownia malarska

Augiaszowe gospodarstwo — w mitologii greckiej nigdy nie czyszczone stajnie Augiasza, króla Elidy. Oczyszczenie ich było jedną z dwunastu prac Heraklesa.
automedon — w mitologii greckiej rycerz achajski, Automedon woźnica rydwanu Achillesa, tu: woźnica, dorożkarz

baszybużuk względnie baszybuzuk (tur.) — dawny żołnierz turecki z nieregularnych oddziałów, tu: w znaczeniu szalona głowa
boeuf à la mode (fr.) — pieczeń wołowa marynowana z dodatkiem korzeni i szpikowana słoniną
bric à brac (fr.) — rupiecie, szpargały
buszman — członek plemienia w południowo-wschodniej Afryce, tu: w znaczeniu dzikus

chiton (gr.) — szata grecka bez rękawów, spinana na ramionach, noszona przez mężczyzn i kobiety

entrepryza, antrepryza (z fr.) — przedsięwzięcie

fertig (niem.) — gotowe

Galatea — żona Pigmaliona. Mityczny król Cypru zakochał się w wyrzeźbionym przez siebie posągu. Na jego prośby Afrodyta ożywiła posąg. Pigmalion pojął dziewczynę za żonę i nadał jej imię Galatea.
Gamasz — jeden z bohaterów *Don Kichota* Cervantesa, słynny z urządzenia wspaniałej i obfitej uczty weselnej, w której brał udział rycerz z La Manczy
grand (hiszp.) — najwyższy tytuł arystokraty hiszpańskiego lub portugalskiego

histrion (łac.) — w starożytnym Rzymie aktor lub tancerz komiczny

Józef z Arymatei — jeden z potajemnych uczniów Chrystusa, członek Sanhedrynu, wyjednał u Piłata zezwolenie na zdjęcie Jezusa z krzyża i pochowanie (Ewangelia wg św. Mateusza, 27).

Kaliban — nieokrzesany, odrażający niewolnik z dramatu Szekspira *Burza*, tu: dzikus

Kafr — członek wojowniczego szczepu murzyńskiego w Afryce Południowej

Kochinchina (Koczinchina) — nazwa południowej części Wietnamu

konsorcjum (łac.) — spółka, tu: towarzystwo

kolumna Vendôme — kolumna z wizerunkiem Napoleona na placu tejże nazwy wzniesiona w latach 1806—1810 na pamiątkę zwycięstw cesarza

Lukullus (ok. 117—56 r. p.n.e.) — wódz i polityk rzymski, słynący z bogactw, rozrzutności i marnotrawstwa (wystawne uczty)

maître (fr.) — mistrz

panta rhei (gr.) — wszystko płynie (wszystko na świecie płynie, wszystko jest w ruchu, wszystko się zmienia), zasada przypisywana filozofowi greckiemu Heraklitowi

plain air (fr.) — otwarta przestrzeń pod gołym niebem

puszka Pandory — wg mitologii greckiej puszka lub beczka zawierająca wszystkie nieszczęścia ludzkie dana Pandorze przez Zeusa, z zakazem otwierania którą ona trawiona ciekawością otworzyła.

Putyfara — żona Putyfara, zwierzchnika straży faraona (wg legend arabskich miała na imię Zulejka). Odtrącona przez Józefa, oskarżyła go fałszywie przed mężem o chęć uwiedzenia jej. Putyfar wtrącił Józefa do więzienia (Biblia, Genezis, 39).

Salomonowy poemat o przedziwnej, zimnej białości jej ciała — aluzja do *Pieśni nad pieśniami* ze Starego Testamentu, opiewającej żarliwą miłość Salomona i Sulamitki

Są rzeczy na świecie, o których się nie śniło filozofom — słowa tytułowego bohatera z dramatu Szekspira *Hamlet*

s'il vous plaît (fr.) — jeśli pan łaskaw

sympozjon (gr.) — w starożytnej Grecji druga część spotkania towarzyskiego urozmaicona rozmowami, śpiewem, występami aktorów, tancerzy

tabetyczny (z łac.) — charakterystyczny chód dla chorych na wiąd rdzenia, polegający m.in. na wyrzucaniu do przodu stóp

witriol — kwas siarczany

Zaratustra (Zarathustra, ok. VI w. p.n.e.) — reformator mazdaizmu, religii Persów *nota wydawcy*

Perły i wieprze, których ciąg dalszy stanowi powieść *Po mlecznej drodze*, ukazały się po raz pierwszy w Kijowie w 1915 r. nakładem księgarni Leona Idzikowskiego. Opowieści te były wielokrotnie wznawiane za życia pisarza (1916, 1920, 1921, 1923, 1928, 1948).

Wydanie niniejsze oparte jest na edycji krytycznej opracowanej przez Aleksandra Zygę (Wydawnictwo Literackie, Kraków 1957), w której za podstawę druku przyjęto dwutomowe wydanie *Pereł i wieprzy*, opublikowane w Warszawie w 1928 r. jako tom XLVII i XLVIII Biblioteki „Tygodnika Ilustrowanego", uznając je za najbardziej poprawne w porównaniu z poprzednimi wydaniami.

Perły i wieprze wydane w Rzymie w 1948 r. przez Emila Breitera — jak można sądzić — nie były przez Autora przejrzane.

Przygotowując wydanie obecne, ukazujące się w ramach *Utworów wybranych* Makuszyńskiego, porównano ponownie tekst z podstawą edycji krytycznej i poprawiono błędy druku. Stwierdzono też, że nie zachował się w Muzeum Kornela Makuszyńskiego, Oddziale Muzeum Tatrzańskiego w Zakopanem, rękopis *Pereł i wieprzy*, tak jak było to w przypadku wielu innych dzieł pisarza. Zwykle był to autorski czystopis stanowiący podstawę druku pierwszych wydań, bardzo pomocny przy poprawianiu drukarskich błędów.

spis treści